鄭樑生著

文史哲學集成

中日關係史研究論集(一)

文史哲出版社印行

文史哲學集成 ㉙

中日關係史研究論集㈠

著者：鄭樑生
出版者：文史哲出版社
登記證字號：行政院新聞局局版臺業字〇七五五號
發行所：文史哲出版社
印刷者：文史哲出版社
台北市羅斯福路一段七十二巷四號
郵撥〇五一二八八一二彭正雄帳戶
電話：三五一一〇二八

實價新台幣二八〇元

中華民國七十九年七月初版

ISBN 957-547-000-1

序

本書乃根據拙著《明史日本傳正補》一書所引發之若干問題，對明代中日兩國之關係作更進一層之探討。凡收錄論文六篇，都十餘萬言。其編排依問題性質之相近爲次。各篇雖有探討之主題，然多不出於明、日關係之範圍。

首篇就我國方志所錄倭寇史料作一探討。倭寇乃明代兩大外患之一，其禍害東南沿海甚鉅，致兵燹相連，民不聊生，而有關倭患之明人著作雖夥，然而《明史》體制所限，祛繁就簡，祇取大概；《明實錄》固多所記錄，唯年代久遠，闕漏難免。故欲對當時倭寇肆虐州縣之情狀，明廷之經略布置，諸將之攻防籌策等作更翔實之瞭解，方志史料之詳贍，正可彌補上項史籍之短失。

第二篇就明代日本貢使資料立論。洪武立朝，雖數度遣使詔諭日本，然終其在位之年，始終未能令日本來朝。此一關係之突破，直至建文帝始有所開展。《明實錄》、《明史》所載語多簡略，本文乃根據善本書之資料所記述來瞭解日本貢使在華之活動詳情，因其朝貢所衍生之諸種問題，及明廷之因應方式。

第三篇討論嘉靖年間明廷對日本貢使策彥周良之處置始末。自日本貢使於嘉靖二年引起寧波事件以後，明廷對於彼邦來貢問題之處理方式較前加嚴，尤其在二十六年當策彥周良人、船踰額，先期而至時，雖然讓其在定海外海等候貢期，然而對其所提頒發新勘合與再賜「日本國王」金印並未予理會。當時他們之所以能夠在華等候貢期，人、船踰額而明廷竟予接受，浙江巡撫朱紈力排衆議予以接納之功居多，而本文即對其經緯作較詳之考察。

第四篇探討日本豐臣秀吉發動侵略戰爭時，朝鮮政府哨報倭情之始末。明神宗萬曆年間，當秀吉對內逐漸統一日本全國時，即表示其有意對外擴張征服亞洲之野心。且曾先後派遣使節前往葡萄牙在印度之殖民地卧亞，及呂宋、臺灣等地要求它們朝貢日本，且要求於其發動侵略時供應糧秣以配合其行動。當時的旅日華人及琉球對秀吉之此一舉動均曾對明朝有所報告。朝鮮雖亦曾哨報倭情，但其經過卻頗爲曲折，致躭誤了明廷之援救工作，終致有萬曆朝鮮之役的結果。本文即針對此一問題作深入探討。

第五篇則在於考察明代中琉兩國之封貢關係。琉球自洪武五年與明廷建立封貢關係以後直至明末，其間雖有起伏，始終維持此一友好關係。此其間亦曾有過貢期之爭執，關於貢使之不法行爲等問題，或受當時東亞國際形勢之影響，往來有疏有密。尤其後來受到倭寇侵擾，難免影響到中琉兩國請封使與冊封使之往來，以致造成若干疏離，遂予日本可乘之機云。

末載出身揚州的律宗和尚鑑眞將律宗東傳之艱辛歷程，非僅光照中日兩國文化交流史，實亦彰顯華族無畏不屈不撓之精神與毅力。由於鑑眞之東渡，日本僧侶之紀律因之端正、威儀因之整肅。他築戒壇，爲天皇以下后妃、王公、大臣授戒，以及築唐招提寺，造佛像，及其弟子之豐富著作，在在皆顯示對日本宗教、藝術、文學之具體貢獻及深遠影響。而其所建唐招提寺更成爲後世日本建築之主流所謂「和樣」之典範。

以上各文雖獨立成篇，而其間關聯之脈絡，亦隱然可見。故合爲一冊，便於誌存，並就教於大方之家，尚祈博雅君子不吝賜正是幸。

鄭　樑　生識於中和
一九九〇年七月

中日關係史研究論集　目次

序

方志之倭寇史料

一、前言

倭寇乃明代兩大外患之一，其寇掠行爲曾給當時沿海各省數十郡縣居民及官宇廨舍帶來莫大禍害㊀，致當時國人畏倭如虎㊁，談倭色變，而閭巷小民，甚至指倭相詈罵，以噤其小兒女㊂。因此，有關倭寇寇邊之著作，在明世宗嘉靖年間（一五二二～六六）即有數種問世，如浙江總督胡完憲之幕僚鄭若曾的《籌海圖編》十三卷㊃，以及曾奉浙江總督楊宜之命，於嘉靖三十五年（一五五六）赴日招諭倭寇的鄭舜功之《日本一鑑》十二卷㊄等，其在有明一代成書者，則有嘉靖三十年代任浙江海鹽縣縣吏的采九德之《倭變事略》四卷㊅，萬表《前後海寇議》三卷㊆，李日華《倭變志》一卷㊇，張鼐《吳淞甲乙倭變志》二卷㊈，王士騏《皇明馭倭錄》八卷㊉，卜大同《備倭圖記》四卷⑪，郭光復《倭情考略》一卷⑫，徐學聚《嘉靖東南平倭通錄》⑬，茅坤《紀剿除徐海本末》一卷⑭，謝杰《

虔臺倭纂》⑯，宋應昌《經略復國要編》十四卷附一卷等專著，而茅瑞徵《皇明象胥錄》⑰、《萬曆三大征考》⑱，徐學聚《國朝典彙》二百卷⑲，許重熙《嘉靖以來注略》十四卷⑳，朱紈《朱中丞甓餘集》二卷㉑、《朱中丞甓餘雜集》十二卷㉒，茅元儀《武備志》三百四十卷㉓，鄭若曾《江南經略》八卷㉔，明不著編人《倭志》不分卷㉕，侯繼高《日本風土記》㉖，蕭應宮《朝鮮征倭紀略》一卷㉗等書，亦有相關之記載。至於當時文武大臣之章疏，亦多針對當時倭寇之肆虐，提出許多對策，冀望早日消弭此一禍患。凡此類奏疏，大率散見於其各人文集之中，而明人許孚遠、陳子龍等編纂之《皇明經世文編》五〇四卷〈補遺〉四卷㉘所收錄者即有二百餘篇之多，明人鄭大郁編訂之《經國雄略》四十八卷二九所紀〈海防考〉、《四夷考》卷二〈日本〉，對倭寇問題之記載亦不少。至清人著作中有關此一方面的文字亦罄竹難書，如顧炎武之《天下郡國利病書》百二十卷㉙，何喬遠《名山藏》㉚〈臣林記〉，谷應泰《明倭寇始末》一卷㉛、《明史紀事本末》㉜卷五五〈沿海倭亂〉；卷六二〈援朝鮮〉，夏燮《明通鑑》百二卷㉝等是。除上述外，明清時代完成的各地方志所紀倭寇關係之文字亦復不少，它們對明朝所爲防倭措施，及倭寇侵掠之實情的記載，往往能補充、印證《明實錄》、《明史》等官方紀錄，所以如要探討有明一代倭寇寇邊之眞相，自非遍覽上述所有著作難窺其全貌。

就上述各種文獻史料而言，它們往往紀某年某月某日，因倭寇而採某種措施，某年某月某日寇掠某地而我方征討人員傷亡慘重或殺敵致果，又或某年某月某日派某某前往某地負責某種任務等，但此類重點式的記載多半簡略而令人難以具體瞭解，《明實錄》、《明史》等官方紀錄的情形亦復如此。若能利用方志，當可解決此一方面之若干疑問，對整個問題之瞭解自有不少裨益。

前此研究倭寇問題的中外學者亦夥矣，其論者之值得重視者有如汗牛之充棟，但論及能充分利用方志以補充、印證他書所紀有關明廷針對倭寇所採的各種措施，及倭寇蹂躪我沿海郡縣之實情，征倭將士死難之事蹟，明軍討伐倭寇時所以失利之原因者卻殊不多見[35]，此實為此類著作美中不足處，倘能利用方志，則於倭寇研究必有更豐碩之成果。因此，本文擬從往日未被充分利用的方志之倭寇史料中，舉二三例子來說明其重要性，並於文末臚列筆者已閱目之方志名稱，以供今後有志從事此一方面之研究的學者參考。

二、海防關係史料

前文已說，因《明實錄》、《明史》之部分記載，雖言某一時期採某一措施，但仍令人難確知其詳情。就為防倭而於洪武十七（一三八四）、二十年，分別命信國公湯和，江夏侯周德興前往江浙、福建等地巡視海上，並於各該地之沿海郡縣築城堡之事而言，《太祖實錄》只云：

> 命信國公湯和巡視浙江、福建沿海城池，禁民入海捕魚，以防倭故也（卷一五九，洪武十七年正月己亥朔壬戌條。）
>
> 命江夏侯周德興往福建，以福、興、漳、泉四府民戶，三丁取一，為緣海衛所戍兵，以防倭

寇。其原置軍衛，非要害之所，即移置之。德興至福建，按籍抽兵，相視要害，可爲城守之處，具圖以進。凡選丁壯萬五千餘人，築城一十六，增置巡檢司四十有五，分隸諸衛以防禦。（卷一八一，洪武二十年四月辛巳朔戊子條。）

《明史》《太祖本紀》亦只云：

（洪武十七年春正月）壬戌，湯和巡視沿海諸城防倭。

（洪武二十年）夏四月戊子，江夏侯周德興，築福建瀕海城，練兵防倭。

同書卷九一，（兵）三，（海防）條云：

（洪武）十七年，命信國公湯和巡視海上，築山東、江南北、浙東西沿海諸城。後三年，命江夏侯周德興，抽福建福、興、漳、泉四府三丁之一，爲沿海戍兵，得萬五千人。移置衛所於要害處，築城十六。復置定海、盤石、金鄉、海門四衛於浙，金山衛於松江之小官場，及青村、南匯嘴城二千戶所。又置臨山衛於紹興，及三山、瀝海等千戶所。而寧波、温、臺海地，先已置八千戶所，曰：平陽、三江、龍山、霩衢、大松、錢倉、新河、松門，皆屯兵設守。

至同書卷一二六，（湯和傳）云：

（洪武十八年）既而倭寇上海，帝患之。顧謂湯和曰：卿雖老，強爲朕一行。和請與方鳴謙俱。鳴謙，國珍從子也，習海事，常訪以禦倭策。鳴謙曰：倭海上來，則海上禦之耳。請量地遠近置衛所，陸聚步兵，水具戰艦，則倭不得入，入亦不得傅岸。……和乃度地浙西東，並海設衛所城五十有九，選丁壯二萬五千人築之。盡發州縣錢及籍罪人貲給役。役夫往往過望，而民不能無擾，浙人頗苦之。

卷一三二〈周德興傳〉云：

（洪武十八年）帝謂德興：福建功未竟，卿雖老，尚勉爲朕行。德興至閩，按籍僉練，得民兵十餘萬人。相視要害，築城一十六，置巡司四十有五，防海之策始備。[36]

由上錄文字，固可知朱元璋之所以在東南沿海地方築衛所城的目的，及獻此一禦倭之策者爲方國珍之從子方鳴謙，但並未詳言他們築城之地點，而《明史》〈日本傳〉所紀者亦與上列文字相仿，無法使人瞭解箇中情形。然當我們閱讀方志時既可知他們築城之所在，又可知所築城堡規模之大小。茲以周德興所築城池爲例列舉如下：

(一) 屬於福州府者四：

1.鎮東衛城：在福清縣方民、新安里間，去縣治一十里。國朝洪武二十年，江夏侯周德興督造。垣高一丈三尺，厚一丈，周八百八十餘丈。爲門四，警舖四十有三，女墻一千三百四十有九，敵樓三十有一。

2.梅花守禦千戶所城：在長樂縣二十四都，去縣治四十里。國朝洪武二十年，江夏侯周德興督造。垣高一丈八尺，厚六尺，周六百四十餘丈。門三，女墻一千二百，敵樓二十有四，警舖二十。

3.定海守禦千戶所城：在連江縣二十七都，去縣治八十里。國朝洪武二十年，江夏侯周德興督造。垣高一丈五尺，周六百丈。警舖二十有六。西、南各闢門一，城外濠闊六尺，深三尺。

4.萬安守禦千戶所城：在福清縣平南里，去縣治一百二十餘里。國朝洪武二十年，江夏侯周德興督造。（垣）高一丈二尺，周五百二十五丈。女墻八百二十有七，警舖一十有三，敵樓一十有八。東、西、南爲三門，上皆建樓。㊲

(二) 屬於福寧州者七：

5.福寧州城：在龍首山下，自唐迄元未有也。至國朝洪武二年，海寇侵州境，鎮守駙馬都尉王恭，檄百戶甯祥率軍士守禦。明年，山寇鄭龍子美爲亂，祥討平之。又明年，始築城。周三里，高一丈九尺，厚一丈。東北隅穴水門以洩澗水。二十年，置福寧衛。江夏侯周德興撤東城，拓開一里，增高三尺，周四里。女墻一千五十二，埰窩樓二十九座。

6.大金千戶所城：在五十二都，瀕海，舊爲西臼巡檢司。國朝洪武二十年改立千戶所，江夏侯始築城。周五百八十二丈，高二丈一尺，厚一丈。東、南、西、北各一門。

7.定海千戶所城：在連江縣東三十都埕南澳。國朝洪武二十年，江夏侯建，高、厚各如大金，隸福寧衛。

8.清灣城：在七都。

9.大篔簹城：在十一都。

10.高羅城：在四十三都。

11.廷亭城：在五十都，皆國朝洪武二十年江夏侯所築。各周一百六十丈五尺，皆巡檢司所。㉘

(三)屬於興化府者二：

12.平海衛城：在府東九十里，莆田縣武盛里界，地名南嘯。洪武二十年，因倭爲患，特命江夏侯周德興來相度要害，創立衛所時，遣興化衛指揮呂謙監築是城。計周圍八百六丈七尺，廣一丈四尺，高一丈八尺，垜墻六尺，共高二丈四尺。垜計一千三百一十，窩鋪三十。門四，東、西各一，南二俗呼大南門小南門，各建樓其上，置兵馬司盤詰。城形勢北仰而南俯，三面皆際海，以海爲池，不鑿壕塹。城北不置門，據高山築臺以瞭望，東見小琉球，南見湄洲諸澳。

13.莆禧千戶所城：在府東南九十里，莆田縣新安里界。洪武二十年，江夏侯周德興，命指揮呂謙與平海衛同建。周迴五百九十丈、廣一丈二尺，高一丈三尺。垜墻六尺，共高一丈九尺。垜一千四十有九，窩鋪二十。闢東、西、南、北四門，各建樓其上。東、南、北三面阻海，西鑿旱壕，長二千一十丈，廣二丈，深八尺。㉙

(四)屬於泉州府者三：

14.福全千戶所城：在晉江十五都，洪武二十年，江夏侯周德興築。周圍六百五十丈，基層一丈三尺，高二丈一尺。窩鋪十六。門四，各建樓。

15.金門千戶所城：在同安浯嶼北，倚山，東、西、南阻海。洪武二十年，江夏侯周德興築。外環以壕，深廣丈餘。周圍六百六十丈，基廣一丈七尺。窩舖三十六，門四。

16.崇武千戶所城：在惠安二十七都，即宋小兜巡檢寨，迺自海入州界首。國初猶爲巡檢司，洪武二十年，移巡檢司于小岞，置崇武所城。周圍七百三十七丈，基廣一丈三，高二丈一尺。窩舖三十六。門四，各建樓。㊵

由上述，我們得知在洪武二十年當時，周德興並未在漳州府築城，此乃福寧州之誤。此外，我們亦可從方志獲悉德興不僅於二十年奉詔量地築衛所城，而且曾於洪武初督造萬安守禦千戶所城（福州府）、小祉巡簡（檢）司城（福州府）、北菱巡簡（檢）司城（福州府）㊶，於二十三年築高浦千戶所城（泉州府），二十五年築銅山千戶所城（泉州府）㊷，二十七年築中左千戶所城（泉州府）、永寧城（泉州府）㊸，三十年築玄鍾千戶所城（漳州府）、鎭海衛城（漳州府）、陸鰲千戶所城（漳州府）㊹，在洪武初築蛤沙河伯所城（福州府）㊺，而朱元璋對防倭工作始終沒有殆忽的。

三、戰事關係史料

明自建國以來，海氛不息，都邑鄉閭之受倭肆虐者不知凡幾，尤其在嘉靖三十年代前半，州、縣、衛、所城堡頻頻失陷，兩浙地方之損失尤重。如據《世宗實錄》所紀，臨山（三十二年四月二十五日）、上海（三十二年五月八日，三十四年十月二日）、乍浦（三十二年五月十七日，三十三年四月十一日）、南匯所（三十二年七月四日）、吳淞所（三十二年七月四日）、蘇州（三十三年一月二十七日）、喜興（三十三年四月五日），嘉善（三十三年四月十五日）、崇德（三十三年五月九日，三十四年一月一日）、鼈子門（三十三年五月九日，三十四年一月一日）、青村所（三十三年十二月二十四日）、柘林（三十四年四月七日）、華亭（三十四年十月二日）、川沙（三十四年六月十日）、慈谿（三十五年四月十一日，三十六年四月十八日）、仙居（三十五年六月十日）等城鎭，莫不曾落入賊手，而川沙、柘林、陶宅等處，則曾爲賊巢的㊅。

嘉靖三十六年（一五五七），渠魁王直爲浙江總督胡宗憲誘捕，下浙江按察司獄㊆後，其餘黨乃自舟山移至福建之浯嶼㊇，肆虐閩、廣，致該地沿海居民備受其害。尤有甚者，寇賊非僅攻陷福清（三十七年四月十九日，六月二十日）、南安（三十七年六月二十日）、福安（三十八年四月五日）、永福（三十八年五月十一日）、崇武所（三十九年五月二十九日）、泰寧（三十九年八月六日）、南靖（四十年十一月一日）、壽寧（四十一年十一月二十九日）、政和（四十一年十一月二十九日）、玄鍾所（四十一年十一月二十九日）、寧德（四十一年十一月二十九日，四十二年二月二十九日）等處，竟連興化府城也予以攻破。《世宗實錄》卷五一五，喜靖四十一年十一月辛巳朔己酉條云：

福建倭攻興化府城，陷之。倭自十月初犯福建。其自浙之温州來者，則合福寧、連江登岸海賊，攻陷壽寧、政和、寧德等縣；自廣之南澳來者，則合福清、長樂登岸海賊，攻陷玄鍾所，蔓延及於龍岩、松溪、大田、古田之境，無非賊者。初，浙江參將戚繼光，與總兵劉顯等，既連破賊於林墩港等處，閩之宿寇盡平。繼光引兵還浙，遇倭自福清東營澳登岸，麾兵擊之，斬首一百八十有奇，遂行。而閩倭至者日衆，始攻興化城，不克。乃合兵薄城下圍之，且匝月。至是，城守卒勞罷。賊瞯其懈弛，夜以布梯傳城入之。開門，放火，城中方知賊至，百姓恇擾。參將畢高，參政翁時器，悉縋城宵遁。同知奚世亮，爲賊所殺。賊遂入，據府，至來歲二月始敗。

《明史》〈日本傳〉則云：

明（四十一）年十一月，陷興化府，大殺掠，移據平海衛不去。初，倭之犯浙江也，破州、縣、衛、所城以百數，然未有破府城者，至是遠近震動。

此事發生後，明廷乃命提督兩廣總督御史張臬總督廣、閩軍務，調度兵馬，分部擊寇，且罷巡撫都御史游震得回籍聽勘。令總兵劉顯戴罪勦賊。逮參政翁時器，參將畢高，至京問罪[49]。此乃因南京科道官范宗吳、張士佩等奏謂：

賊薄興化時。震得詐病告休。及城陷，則避之福清，不肯督兵救援。顯屯軍江口，遠在三十里外駐營，未聞提兵決戰。而時器與高聞變，即縋城夜出，尚未識其所往，請各置之理。[50]

方纔作上述之處置的。

然《實錄》與《明史》對此事並未作進一步之說明，無從得知它所以失陷的其他因素，及淪陷後所遭破壞的程度，因此我們惟有披閱方志來探究其眞相。萬曆三年刊《興化府志》卷一，〈輿地志〉〈災祥〉條云：

（嘉靖四十一年）十一月初一日，新倭千餘，薄（東、西、迎仙、拱辰）四門屯劄。時劉顯擁兵次且江口，久之，遣兵入援，爲賊遮殺。賊裝係持檄入守。不復問辨，令與諸兵更番夜守。

又云：

（十一月）二十九日，四更城陷。先一日，天兵給翁參政。是夕，翁卒中其給。已而賊屯兩月，始往攻平海衛崎頭堡，破之。按史李邦珍，疏請譚綸爲開府，以墨綫赴其間。戚繼光爲七閩樓船，大將軍至，搗其巢而空之。

則興化府之失陷，除《實錄》所謂：「城守卒勞罷。賊瞷其懈弛，夜以布梯傳城入之。開門，放火城中」外，守將之一時大意，對來者未加問辨，即以爲是援兵，而使之參與戍守，亦爲貽寇賊可乘之機，而得襲入城。同書卷二，〈建置志〉〈城池〉〈府城〉條對此事作更詳細之說明云：

（嘉靖）四十一年十一月朔，倭寇大夥□集四門攻圍，士民仍堅守三旬，援兵弗至，竟爲賊內應。於二十日八日夜，寇從西北襲入城，屠僇胡忍言哉。據之兩閱月始出。又據崎頭城，據平海城。於是知府易道談甫至，諸門樓焚燬悉盡，捍衛無措。(五一)

由上舉文字可知，《府志》之文字可補充《實錄》與《明史》之闕漏，倘無《府志》之記載，我們便永遠無法得悉興化府失陷前後的情形，與其被創之程度了。至其他地方之被害情況，及倭寇盤據之實況，亦可由各該地方之方志窺見其一斑。

四、人物關係史料

自古以來，捍衛國家，掃蕩妖氛，必有英傑奇人出而效命，解蒼黎於塗炭，鞏國祚於苞桑，勳勒鼎鍾，名傳史冊，永垂不朽。至若小醜跳樑，隨時殄滅，戡亂之功，亦不可泯。有明一代，好義之士，團結鄉社，保障一方，干城腹心者甚夥，故雖屢遭外患，城池得以安然無恙。就討倭一事而言，殺身成仁者固不乏人，但其奮勇殺賊，爲國捐軀而不知其死難之詳情者亦非少數。我們如欲瞭解其生平與英勇的死難事蹟，及他們所建赫赫之功與當時戰況，自非檢索方志不可。茲以周應禎、彭藎臣爲例介紹如下：

㈠ 周應禎

周應禎係於嘉靖三十三年四月五日，在嘉興之孟宗堰陣亡的。《世宗實錄》卷四〇九，同年同月辛未朔乙亥條云：

浙江倭寇自海鹽趨嘉興，參將盧鏜等帥兵禦之。稍卻。次日，復戰於孟宗堰，官軍敗績，亡卒千人。都司周應楨（禎），指揮李元律，千戶薛絅、宋應瀾等俱死之。賊乘勝入據石墩山，分兵四掠。

此一戰事之攻防與犧牲之大，值得注目。采九德《倭變事略》對當時情形雖有詳細記載，卻僅言掌印指揮李元律，處州薛千戶及千總劉大仲之死而未提及周應禎。徐學聚《嘉靖東南平倭通錄》則雖紀應禎之陣亡，但語焉不詳。明不著撰人之《海寧倭寇始末》[53]，其情形亦復如此。所以我們無從得知應禎爲國捐軀之詳情。在這種情況下，幸虧有方志提供此一方面之資料。《海昌外志》所錄祝以豳〈周將軍死難記〉云：

周將軍者，奉督撫中丞李公檄，與參將盧鏜各住兵，住袁花之崇教寺。將軍善騎射，與士卒同甘苦，帳下健兒亡不人人可一當十者。時倭奴據石墩，懾將軍威名，至鳳山不進。而鳳山以北之居民，猶恃將軍而不輟耕不罷市也。居亡何而流言洶洶，謂山以南民且無噍類，勢必旁及一鳳嶺，安能障之。將軍嚙指奮臂曰：山以南非赤子耶？而擁衆坐視，何以報中丞？鏜次且不敢應，謂日時不利，須後期。將軍恚曰：我不利出師，彼何以利入寇？策馬彎弓而前。帳下諸健兒從之，而士民千餘人願隨行助聲勢，于是悉黝其鼻以相識別。行至河橋，有二鴉飛鳴，馬首將軍仰天射一鴉墮地，衆心切疑之。將軍不顧鼓行而進，遇賊數百步外，與賊引弓射，無不應弦而殪者。斬數十級，賊潰。復追逐之，至放鷹山，蓧菁蒙翳，賊伏靈圍敗垣中。馬經行垣側，賊抱石擊將軍。中額，身被數創。馬咆哮負馱崇教寺，越宿而絕，馬亦不食三日死。……將軍名應禎，中都留守衛人，時爲浙江都使司僉書，故稱都司云。[54]

由這段文字，我們非僅可以瞭解應禎死難的經過，且其愛國愛民的情操昭然大白。

(二) 彭藎臣

彭藎臣係在江南討倭時犧牲生命的。關於他的英勇事蹟，《世宗實卷》四二二，嘉靖三十四年五月甲午朔條云：

柘林倭，合新倭四千餘人，突犯嘉興。（浙江）總督強（張之誤）經，分遣參將盧鏜，督粮（狼之誤）、土等兵，水陸擊之。保靖宣慰使彭藎臣，與賊遇于石塘灣。大戰，敗之。賊遂北走平望。副總兵俞大猷，以永順宣慰司官舍彭翼南邀擊之。賊奔回王江涇。保靖兵復擊急（急擊）其後，賊之（遂）大潰。諸軍共擒斬首功，凡一千九百八十人（衍）有奇，溺水及走死者甚衆。餘賊不及數百，奔歸柘林。自有倭患以來，東南用兵，未有得志者，此其第一切（功）云。

此乃敘述王江涇大捷的經過，但本紀事僅言彭藎臣於該役擊敗倭賊，並未述及他陣亡事。谷應泰《明史紀事本末》卷五五〈沿海倭亂〉雖亦紀此一戰役，也僅言：

時倭自柘林犯嘉興，（張）經遣參將盧鏜督狼、土兵，水陸攻之，大敗賊於石塘灣。賊北走平望。俞大猷邀擊。奔平望，至王江涇。永順宣慰官彭翼南攻其前，保靖宣慰使彭藎臣躡其後，遂大敗之，斬首二千餘級，溺死者稱是。餘衆奔柘林，縱火焚其巢，駕舟二百餘艘出海遁。自有倭患以來，此爲戰功第一。

至鄭若曾《籌海圖編》卷九〈大捷考〉所錄都御史胡松撰〈王江涇之捷〉，則除言彭藎臣所領士兵數千人至，可使巡按浙江御使胡宗憲策其恃勇犯忌，藎臣遇伏墮賊計受挫，及標榜宗憲之赫赫武功外，對藎臣之作戰情形並未言及。太學生俞獻可撰〈平望之捷〉也僅提他復失利，而同書卷十〈遇難徇節考）亦無相關記載。雖然如此，康熙甲子（二十三年）《吳江縣志》卷二二（武略）卻有如下之一段文字：

> 嘉靖三十四年正月，（倭）賊陷崇德，掠五百餘舟，從南潯，經梅堰，至平望六里橋。兵備參政任環伏沙兵將擊之。僧兵洩其機，沙兵被害及溺死者甚衆。（青陽港知縣楊）芷督光船分列于橋之東西，蕩中夾攻，斬首十五級，飛礮擊死者二十餘人。賊所掠財寶亡失殆盡。會新城雨裂，城隍災，恐賊棄舟窺城，乃遶朱家橋，據盛墩扼之。賊夜遁，復屯栢林。四月二十六日，賊復從嘉興至唐家湖，賊不能渡。芷引兵截戰。賊駭奔平望，奪舟橫渡。芷令泅水者鑿其舟，而自屯兵截盛墩，斷其堤，并布釘板于水底，賊不敢渡。幕府（張經）調遣（保靖）宣慰（使）彭藎臣率兵二千來援，邑兵勢合，與賊戰于平望。藎臣爲先鋒，斬賊首百餘級。轉戰至楊家橋，斬首三十餘級，藎臣被創死。

由此記載，我們不但得悉藎臣當時的任務，而且知其陣亡之所在。

除周應禎、彭藎臣外，爲討倭而陣亡的將士與義民之英勇事蹟之未爲《明實錄》、《明史》等官方文獻所紀，或有記載而語焉不詳者甚多，如於嘉靖三十五年十月，倭入浙江慈谿時率兵追寇賊，終以兵少陷没的省祭官杜槐與其父文明㉞；三十七年夏，島夷直犯福州時，與諸司道分守福州城，並以火砲、飛礮擊殺賊寇數十百人，使賊不敢犯其所守陣地之宗臣㉟；嘉靖末，與倭賊戰於舟山的閔溶㊱；嘉靖間，與俞大猷等人參加數十百次征倭之戰而有輝煌功勳，卒爲忌者所齮齕落職的黎鵬舉㊲，以及當浙直地方倭寇猖獗之際，以提督狼山副總兵奉檄赴援，大戰於徐公山、蓮花洋、羊山、陽弌橋等處，斬首千餘級，並在王江涇、陸涇壩之捷，與俞大猷共事論功之鄧城[36]等人，他們的生平事蹟都可從方志看出端倪來。

五、倭寇史料所屬之卷第

方志因版本殊多，故雖屬同一地方之方志，卻因修撰者之不同，所錄倭寇關係文字的卷第與內容並不一致，而文字之繁簡亦互異，所以如欲瞭解某一地方之被寇情形，最好能遍覽各該地之於明清時代修撰的方志，然後與《明實錄》、《明史》或明人所爲紀錄作一比較，如此，對於明廷因倭寇而採某一措施之經緯，與某一事情之眞相的瞭解，當有不少裨益。惟方志所紀此一方面之史料，因編纂者之不同而體例互異，如非遍覽全卷，則所寓目之資料可能有遺珠之憾。雖然如此，各方志之倭寇史料大都集中於建置志之沿革、城堡、官署、衛所；與地志之山川、城池考、形勝、山水；祥異志之兵燹、寇警、兵亂；人物志之武功傳、名卿傳、忠義忠節；武備志之軍制、倭夷、汛地考；藝文志之詩賦、碑記、序；雜記志之祥變、遺事、寇盜等項目。茲以文末所附方志爲例，表列如下：

卷第名稱	項目
輿地圖	府志圖　四境圖　卷首圖　圖說圖考　圖說圖經　縣志圖目

圖經志　歷年紀　祠廟　壇廟　恤勞祠　城郭　公署　縣治
建置志　武衛　兵防　兵戎　巡司　兵衛　建置　學校　城池（敵樓附）
輿地志　城池　鎮市　形勝　山水　山川　災祥　沿革
規制志　城池　雜署　郡邑署
營繕志　城池　署宇
藩省志　事紀　兵防
官制志　海道
官政志　戎備　公署
官師志　武職　兵政　知州
秩官志　防守把總　國朝名宦傳　名宦
名宦志　州正傳　臺司　列傳　武功傳
人物志　忠義忠節　鄉賢　國朝名卿傳　義行　列女
人文　文學
勳績　武蹟　捍衛
兵防志　衛所　兵餉　民兵（簽兵附）　兵防考　鄉兵　武臣列傳　兵制　險要
兵戎志　海防　水關　陸營　水衝要　陸衝要　海山　要害　沿海城池　地理險要　入寇水

道　汛期　戰船　屯運　島夷琉球日本附　衛署　糧餉　海防附

歷代兵事

武備志　軍制　險要　倭夷　倭警　軍需　教場　武略傳　汛地考

武備圖

經武志　備倭

海事志　國朝

海黎志　海防　海寇　海夷

征　撫

外　志　倭夷（海寇附）　外夷國

奏議志　奏疏

書　海防書　圖書　治書　戶書

賦役志　餉稅考　洋稅考

食貨志　糧餉

舊事志　紀兵

前事略　明

雜　志　遺事　寇盜　異聞　災祥　祥變

災異	皇明
寇變紀略	
祥異志	兵變　寇警
文翰志	記　碑記
藝文志	詩賦　序　議　頌
叢談志	禨祥
秩祀志	鄉賢之祭
經略志	
存往志	
城　隍	
國朝事紀	

若能根據上表所舉卷第及項目去仔細翻閱，自不難發見許多倭寇史料，而其中有許多記載是他書所没有的。

六、結　論

以上所說，只不過將方志有關倭寇之史料作一簡單介紹而已，當我們翻閱方志，並與《明實錄》、《明史》相對照，便可發見方志史料之可補充此官方紀錄，及其他文獻之處實在很多。就倭寇之入侵路線而言，《籌海圖編》與《武備志》雖謂其路線有三：曰：至閩廣總路、至直浙山東總路、至朝鮮遼東總路，而康太和〈上明世宗疏〉亦謂：

倭奴居海島之東，與浙地之會稽臨海相望。大洋之中，有三山鼎峙：一名馬蹟，一名天衢，一名揚（洋）山。倭奴之來，必繇馬蹟，欲至寧波、臺、温，必繇天衢，欲至乍浦、吳淞江口、劉家河，必繇揚（洋）山。而馬蹟尤爲衝要，岸可列寨，水可泊船。[59]

但上舉各書對倭寇之入侵路線，均未作進一步之說明，然康熙重修《崇明縣志》[60]有「東倭內犯邊海來境圖」、「明備倭三門圖」、「明備倭三路圖」，崇禎《松江府志》[61]則有「倭寇海洋來路之圖」等可爲爲此一說法之註腳。又，永樂十七年望海堝之役[62]時，遼東守將劉榮曾將入侵該地的倭寇消滅殆盡，但《太宗實錄》卷二一三，《明史》卷七〈成祖本紀〉二，同書卷九一〈兵〉三〈海防〉，卷一五五〈劉榮傳〉、《明史稿》、《明史紀事本末》卷五五〈沿海倭亂〉、《明書》、《通鑑明紀》[63]、《殊域周咨錄》、《皇明四夷考》、《東西洋考》、《籌海圖編》、《國朝典彙》等書雖各紀此事，對望海堝之位置問題並未說明，讀者難以明瞭。此固爲我國古書之通病，但如翻閱《遼東志》[64]與重修《全遼志》[65]所附〈輿圖〉，便可一目了然。

至如柘林、興化各有兩處，前者一在浙江，一在廣東；後者一在江北，一在福建，定海有三：一爲浙江之定海衛，一爲福建連江縣二十七都之定海守禦千戶所，一爲福建連江縣東三十都埕南澳之定海千戶所之事，亦可從方志得悉，否則便可能將被倭寇襲擊的兩處柘林或兩處興化，或三處定海混爲一談了。

此外，渠魁林道乾與林鳳（李馬洪）乃爲完全不同的兩個人㊱，徐海、王直被剿除之始末，倭寇之戰略與眞倭、假倭以及奸民引倭入寇等事，也都可於方志獲得佐證。所以如欲研究明代倭寇問題，方志誠爲不可或缺之重要文獻之一。

附：紀有倭寇史料之方志

1. 《遼東志》九卷六册　明王祥等修任洛等重修　明嘉靖十六年遼東都司刊本　附圖
2. 《重修全遼志》六卷六册　明李輔等纂修　明嘉靖四十五年刊本　附圖
3. 《鹽城志》十卷四册　明楊瑞雲等修　明萬曆十一年刊本
4. 《海州志》十卷　易仕等修　明隆慶壬申序刊本
5. 《興化縣志》四卷四册　明胡順華纂修　明嘉靖間刊本　附圖
6. 《興化縣志》十四卷六册　清張可立等修　明崇禎六年刊本　附圖
7. 《高郵州志》十二卷四册　明沈惟恭等修　明隆慶六年刊本　附圖
8. 《泰州志》十卷七册　明劉萬春等修　明崇禎六年刊本　附圖
9. 《揚州府志》二十七卷首一卷十六册　清雷應元等修　清康熙三年序刊本　附圖

10. 《通州志》八卷四冊　明沈明臣等修　明萬曆五年刊本　附圖
11. 《通州志》八卷　明王世貞等修　明萬曆間刊本　附圖
12. 《通州志》十五卷十冊　清王宜亨纂修　清康熙十三年序刊本
13. 《江南通志》七十六卷首一卷三十六冊　清王新命等修　清康熙二十三年序刊本
14. 《崇明縣志》十四卷八冊　清朱衣點等修　清康熙二十年序刊本
15. 《新修崇明縣志》十卷八冊　明張世臣等修　明萬曆三十二年刊本　附圖
16. 《太倉州志》十五卷六冊　明張采等修　明崇禎十五年刊　清康熙十七年修補本　附圖
17. 《吳江縣志》二十八卷十二冊　明沈啓等修　明嘉靖三十七年刊本　清康熙三十四年羅振玉手書題記
　附圖
18. 《無錫縣志》二十四卷四冊　明秦梁等修　明萬曆二年刊本　附圖
19. 《上海縣志》存五卷二冊　明顏洪範等修　明萬曆十六年刊本
20. 《上海縣志》三十二卷首一卷補遺一卷敘錄一卷　清葉廷眷等修俞樾等纂　清同治十一年刊本（臺北　環球書局　影印本　民國五十九年）
21. 《江陰縣志》二十一卷四冊　明張袞等纂修　明嘉靖二十六年刊萬曆間修補本　附圖
22. 《江陰縣志》三十卷首一冊　清盧思誠等修季念詒等纂　清光緒四年刊本（臺北　環球書局　影印本　民國五十七年）

23.《溧水縣志》八卷二冊　明吳仕詮、黄汝金等纂修　明萬曆七年刊本　附圖
24.《蘇州府志》八十二卷三十六冊　清沈世益等纂　清康熙二十二年刊本
25.《松江府志》五十八卷十六冊　明方岳貢等修　明崇禎四年刊本
26.《松江府志》八十四卷首二卷　清宋如林等修孫星衍等纂　清嘉靖二十四年刊本（臺北　成文出版社影印本　民國五十九年）
27.《象山縣志》存六卷二冊　明陸應陽撰　明萬曆三十六年刊本　附圖
28.《海寧縣志》九卷二冊　明蔡完等修　明嘉靖三十六年刊本　附圖
29.《紹興府志》五十卷十六冊　明張元忭等修　明萬曆十四年刊本　附圖
30.《定海縣志》十三卷四冊　明張時徹撰　明嘉靖間刊本
31.《定海縣志》八卷　清繆燧修陳於渭纂　清康熙五十四年刊本
32.《新修餘姚縣志》二十四卷四冊　明（撰人待考）　明萬曆間刊本　附圖
33.《慈谿縣志》十六卷六冊　明姚宗文等修　明天啟四年刊本
34.《杭州府志》一百卷四十冊　明陳善等修　明萬曆七年刊本　附圖
35.《杭州府志》四十卷首一卷二十冊　清馬如龍等修　清康熙二十五年序刊本
36.《紹興府志》五十八卷三十二冊　清張三異等修　清康熙十一年刊本
37.《會稽縣志》十六卷六冊　明張元忭撰　明萬曆三年刊本　附圖

38.《華亭縣志》十六卷三冊　明沈錫等修　明正德十六年刊本　附圖
39.《平湖縣志》十卷八冊　清朱維熊等修　清康熙二十八年序刊本
40.《寧波郡志》十卷十八冊　明楊寔撰　明成化四年刊本
41.《寧波府志》四十二卷十六冊　明張時徹撰　明嘉靖間刊本　附圖
42.《吳縣志》五十四卷十冊　明牛若麟等撰　明崇禎十五年刊本
43.《吳江縣志》四十六卷首一卷六冊　清郭琇等撰　清康熙二十三年序刊本
44. 重修《海鹽縣志》三十二卷圖說一卷敘錄一卷　清王彬等修徐用儀等纂　清光緒二年刊本
45.《嘉興府志》十八卷首一卷二十冊　清袁國梓等修　清康熙二十年刊本
46.《嘉興府志》八十八卷首三卷　清許瑶光等修吳仰賢等纂　清光緒四年刊本　附圖（臺北成文出版社影印本　民國五十九年）
47.《黃巖縣志》七卷三冊　明袁應祺撰　明萬曆間刊本　附圖
48.《重修崑山縣志》八卷四冊　明周世昌撰　明萬曆四年刊本　附圖
49.《海昌外志》　清談遷撰　墨筆批校　鈔本
50.《鎭海衛誌》　清陸潛鴻撰　舊鈔本
51.《温州府志》八卷　明張孚敬等修　明嘉靖間刊本　附圖
52.《温州府志》十八卷十一冊　明湯日昭等修　明萬曆三十二年刊本　附圖

53.《靖江縣志》十卷八冊　清鄭重等撰　清康熙八年序刊本

54.《福建通志》二百七十八卷首六卷附一卷　清程祖洛等修魏敬中纂　清道光十五年修同治十五年重刊本　附圖

55.《福州府志》三十六卷十五冊　明林𤄫等修　明萬曆二十四年刊本

56.《福州府志》七十六卷二十五冊　明林烴等纂修　明萬曆四十一年刊本

57.《福州府志》七十六卷首一卷　清徐景熹等修　清乾隆十九年刊本

58.《福寧州志》十卷四冊　明林子燮等纂輯　明萬曆二十一年刊本　附圖

59.《福寧州志》十六卷十冊　明張大光等纂修　明萬曆末年刊本

60.《興化府志》二十六卷十冊　明康太和等修　明萬曆三年刊本　附圖

61.《漳州府志》三十三卷三十冊　明羅青霄等修　明萬曆元年刊本

62.《漳州府志》三十八卷十二冊　明袁業泗等修　明崇禎元年刊本　附圖

63.《泉州府志》二十四卷六冊　明陽思謙等修　明萬曆四十年刊本　附圖

64.《泉州府志》七十六卷首一卷　清懷陰布修黄任等纂　清乾隆二十八年修同治九年重刊本

65.《永春州志》十六卷六冊　清鄭一崧修顧𤪌等纂　清乾隆五十二年刊本

66.《海澄縣志》二十卷五冊　明劉兆陽等修　明崇禎六年刊本　附圖

67.《福安縣志》九卷四冊　明陸以載等修　明萬曆二十五年刊本

68.《廈門志》十六卷　清周凱修等纂　清道光十九年刊本
69.《長樂縣志》十一卷六冊　明夏允彝撰　明崇禎十四年刊本　附圖
70.《金門志》十六卷　清劉松彥修林豪纂　清光緒八年刊本
71.《漳浦縣志》二十卷　清陳汝賢等修林登虎等纂　清康熙四十七年修　民國二十五年刊本（臺北　成文出版社　影印本　民國五十七年）
72.《南安縣志》三十卷　清劉祐等修葉獻論等纂　清康熙十一年刊本（臺北　臺北市南安同鄉會　影印本　民國六十二年）
73.《龍溪縣志》八卷　明劉天授等修
74.《惠安縣志》十三卷　明嘉靖庚寅序刊本
75.《廣東通志》七十二卷三十二冊　明郭棐等修　明萬曆三十年刊本　附圖
76.《廣東通志》七十卷二十七冊　明談愷等修　明嘉靖四十年刊本　附圖
77.《廣東通志》三百三十四卷首一卷　清阮元修陳昌齊等纂　清道光二年刊同治三年重刊本　附圖
78.《潮州府志》八卷二冊　明郭春震等纂修　明嘉靖二十六年刊本
79.《潮州府志》四十二卷首一卷　清周碩勛等纂修　清乾隆二十七年刊本光緒十九年重刊本（臺北　成文出版社　影印本　民國五十九年）
80.《肇慶府志》五十卷十二冊　明陸鏊等修　明崇禎十三年刊本

81.《高州府志》十卷二冊 明曹志遇等修 明萬曆間刊本

82.《廉州府志》十四卷四冊 明張國經等修 明崇禎十年刊本 附圖

83.《雷州府志》十卷二冊 明歐陽保撰 明萬曆四十二年刊本 附圖

84.《瓊州府志》十二卷十冊 明歐陽璨等纂修 明萬曆間刊本 附圖

【註釋】

㈠ 請參照鄭樑生，《明史日本傳正補》（民國七十年，臺北，文史哲出版社），及《明・日關係史の研究》（一九八五年，東京・雄山閣），二三二～五六三頁。

㈡ 《明史》（臺灣商務印書館，百衲本），卷三二二，〈日本傳〉云：「…平（豐臣）秀吉召問故時（渠魁）汪直遺黨，知唐人畏倭如虎，氣益驕。」

㈢ 《明史》〈日本傳〉卷末語。

㈣ 鄭若曾，《籌海圖編》十三卷，此書在嘉靖大倭寇稍息的嘉靖四十一年（一五六二）已刊行於世。

㈤ 鄭舜功，《日本一鑑》〈陸島新編〉四卷，〈窮河話海〉五卷，〈桴海圖經〉三卷，清東武劉氏味經書屋精鈔本。又，商務印書館曾於民國二十八年據舊鈔本影印刊行於世。有關鄭舜功赴日招諭倭寇事，請參照《明史》〈日本傳〉嘉靖三十五年條。

㈥ 采九德，《倭變事略》，明天啟三年（一六二三）海鹽原刊本。《鹽邑志林》之一。臺北廣文書局有鉛字本刊行於世。

⑦《明史》，卷九七，〈藝文〉二，列爲雜史類。

⑧同上。

⑨同上。

⑩王士騏，《皇明馭倭錄》（明萬曆刊本）。此書之最大缺點爲只紀年而未紀月日。

⑪卜大同，《備倭圖記》四卷。《明史》，卷九七，〈藝文〉二，列爲地理類。

⑫郭光復，《倭情考略》一卷，鈔本，國立中央圖書館收藏。

⑬徐學聚，《嘉靖東南平倭通錄》，臺北廣文書局將它與《倭變事略》都爲一冊刊行於世。

⑭茅坤，《紀剿除徐海本末》，臺北廣文書局將它與《倭變事略》都爲一冊刊行於世。此《本末》之提要，則收錄於姚士粦（叔祥），《見只篇》（明天啟刊本，《鹽邑志林》之一）。

⑮謝杰，《虔臺倭纂》二卷，收錄於《玄覽堂叢書》。

⑯宋應昌，《經略復國要編》十四卷附錄二卷（明萬曆間刊行）。臺灣華文書局據臺灣大學圖書館藏本影印，編爲中華文史叢書第三輯。

⑰茅瑞徵，《皇明胥象錄》八卷（明崇禎間刊行）。

⑱茅瑞徵，《萬曆三大征考》（明鈔本。明天啟元年（一六二一）鈔本，題名苕上愚公）。

⑲徐學聚，《國朝典彙》二百卷（明天啟四年刊行）。

⑳ 許重熙，《嘉靖以來注略》（明崇禎間刊行）。

㉑ 朱紈，《朱中丞甓餘集》（明崇禎刊本）。

㉒ 朱紈，《朱中丞甓餘雜集》（明萬曆十五年序刊本）。

㉓ 茅元儀，《武備志》二百四十卷（明天啟元年刊行）。東京，汲古書院曾於一九七四年影印發行日本刻本。

㉔ 鄭若曾，《江南經略》八卷（明萬曆三十三年鄭玉清等刊行）。臺灣商務印書館有影本刊行於世。

㉕ 明不著編人，《倭志》不分卷（明鈔本），國立中央圖書館收藏。

㉖ 侯繼高，《日本風土記》，附於《全浙兵制考》（鈔本），日本公文書館收藏。

㉗ 蕭應宮，《朝鮮征倭紀略》一卷，《明史》卷九七，〈藝文〉二，列爲雜史類。

㉘ 許孚遠、陳子龍等，《皇明經世文編》五百四卷，補遺四卷（明崇禎間刊行）。

㉙ 鄭大郁，《經國雄略》四十八卷，明末刊行。

㉚ 顧炎武，《天下郡國利病書》一百二十卷，清乾嘉間樹蕿草堂鈔本。

㉛ 何喬遠，《名山藏》一百八卷，明崇禎十二年（一六四〇）沈猶龍等刊行。

㉜ 谷應泰，《明倭寇始末》一卷，清代以活字本刊行。《學海類編》，〈集餘〉二，〈事功〉之一。

㉝ 谷應泰，《明史紀事本末》八十卷（清文淵閣四庫全書本）。坊間有數種活字本刊行於世。

㉞ 夏燮，《明通鑑》前編四卷正編九十卷附編六卷目錄一卷義例一卷（民國六十七年，臺北，世界書局，

再版影印本）。

㉟ 前此研究明代倭寇問題之學者雖多，但能利用方志以補充、印證他書所紀倭寇關係之問題的很少，據筆者寓目所及，僅有行宜（李獻璋）〈嘉靖大倭寇の始末Ⅰ～Ⅲ〉（《華僑生活》，第二卷，秋季、冬季號，三卷，春季號）；王儀，《明代平倭史實》（民國七十三年，臺北，臺灣中華書局）；鄭樑生，前擧《明史日本傳正補》，《明・日關係史の研究》，及其他少數篇什而已。

㊱ 有關太祖命湯和、周德興巡視沿海及築城事，《明史》〈湯和傳〉與〈周德興傳〉均繫於洪武十八年；〈太祖本紀〉則紀命湯和之時間爲十七年，周德興十八年。《太祖實錄》與《皇明四夷考》紀爲二十年。至《明史》卷九一，〈海防〉，所紀年份與〈太祖本紀〉同。考之上列諸書，對德興下詔之時間之爲二十年，殆無疑慮，對湯和者雖不甚清楚，但他所赴地區乃山東、江南北、浙東西，而這些地方又是當時倭寇侵掠的主要目標，所以太祖可能首先注意及此，故於十七年命和前往，三年後使德興鞏固福建海防。惟據成化四年刊《寧波府志》、崇禎五年刊《寧海縣志》、康熙二十五年序刊《杭州府志》、清談遷撰《海昌外志》（鈔本）等書的記載，和築城的時間爲二十年，則和奉詔的時期亦可能與德興同爲二十年。

㊲ 明林熞等纂修，《福州府志》（明萬曆四十一年刊本），卷八，〈建置志〉，〈城池〉。

㊳ 明張大光等纂修，《福寧州志》（明萬曆間刊本），卷三，〈建置志〉。

㊴ 明康太和等撰，《興化府志》（明萬曆三年刊本），卷二，〈建置志〉，〈城池〉六，〈巡司〉二，〈

所城附〉。

㊵ 明陽思謙等撰，《泉州府志》（明萬曆四十年刊本），卷四，〈規制志〉上，〈城池〉，〈崇武千戶所城〉條雖未舉周德興之名，但揆諸《明實錄》、《明史》及其他文獻史料，此城當爲德興所督造。

㊶ 同註㉞。

㊷ 明陸潛鴻撰，《鎭海衛志》（舊鈔本，國立中央圖書館收藏），〈建置志〉，〈衛所〉。

㊸ 同註㊲。

㊹ 明袁業泗等撰，《漳州府志》（明崇禎元年刊本），卷四，〈規制〉上，〈城池〉，〈衛所〉。

㊺ 同註㉞。

㊻ 有關這些城鎭之被攻陷及成爲賊巢事，除《世宗實錄》、《明史》外，請參看前舉徐學聚，《嘉靖東南平倭通錄》；采九德，《倭變事略》；鍾微，《倭奴遺事》；鄭若曾，《籌海圖編》、《江南經略》；鄭大郁，《經國雄略》；許重熙，《嘉靖以來注略》；夏燮，《明通鑑》；谷應泰，《明史紀事本末》；王士騏，《皇明馭倭錄》；謝杰，《虔臺倭纂》；鄭樑生，《明史日本傳正補》、《明・日關係史の研究》；以及王婆楞，《歷代征倭文獻考》（民國五十五年，臺一版，臺北，正中書局），陳懋恒，《明代倭寇考略》（《燕京學報》專號六，北平，民國二十二年）。各地方志。

㊼ 有關王直被誘捕及下浙江按察司獄事，請參看《世宗實錄》，卷四五三，嘉靖二十六年十一月庚戌朔乙卯條，及《明史》〈日本傳〉，采九德，《倭變事略》〈附錄〉，陳文石，〈明嘉靖年間浙福沿海寇亂

與私販貿易的關係〉（《中央研究院歷史語言研究所集刊》，第三十六本，「紀念董作賓、董同龢先生論文集」，上冊），鄭樑生，《明史日本傳正補》，六二四～六四二頁、《明・日關係史の研究》，三七二～三八六頁。

㊽王直餘黨之由舟山移至福建浯嶼事，請參看《世宗實錄》卷四六五，嘉靖三十七年十月甲辰朔辛亥，卷四六六，同年十一月甲戌朔丙戌；卷四七〇，十八年三月癸酉朔甲子；卷四七二，同年五月壬朔、癸未各條。《明史》〈日本傳〉。

㊾《世宗實錄》，卷五一八，嘉靖四十二年二月庚戌朔丁丑條。

㊿同前。

(五一)同書，卷二，〈建置志〉〈武衛〉〈興化衛〉條則言：「嘉靖壬戌（四十一年），倭寇陷城，焚燬殆盡，僅存旗纛廟一座。」

(五二)明不著撰人，《海寧倭寇始末》一卷（舊鈔本，國立中央圖書館收藏），此書之缺點在所紀日期多舛誤，須參照李日華所爲註解方不失其正確性。

(五三)清談遷撰，《海昌外志》八卷（鈔本，墨筆批校，國立中央圖書館收藏）卷四，〈建置志〉，〈祠廟〉條。

(五四)《世宗實錄》，卷四四〇，嘉靖三十五年十月丙戌朔癸巳條。明（撰人待考），《新脩餘姚縣志》二十四卷（明萬曆間刊本）卷一，〈人物志〉，〈忠節〉，〈杜文明〉條。

(七五) 明黃大成等撰，《興化縣志》十卷（傳鈔明萬曆十九年修本）卷六，〈人文〉上，〈文學〉條，清張可立等修，《興化縣志》十四卷（傳鈔清康熙二十四年重修本）卷八，〈人物〉，〈鄉賢〉條。

(七六) 《世宗實錄》，卷四二八，嘉靖三十四年十一月壬辰朔戊午條。《明史》卷二一二，〈盧鏜傳〉。明林烴等纂修，《福州府志》存七十五卷（明萬曆四十一年刊本），卷一五，〈官政志〉二，〈國朝〉，〈武職〉，〈閔溶〉條。

(七七) 清懷陰布修、黃任等纂，《泉州府志》七十六卷（清乾隆二十八年修，同治九年重刊本）卷五六，〈勳績〉，〈黎鵬舉〉條。

(七八) 清懷陰布修、黃任等纂，《泉州府志》，卷五六，〈勳績〉，〈鄧城〉條。有關王江涇、陸涇壩大捷事，請參看《籌海圖編》，卷九，〈大捷考〉，〈王江涇之捷〉、〈陸涇壩之捷〉條。

(七九) 康太和，《留省稿》，卷一，〈擬應詔陳言以備安攘大計疏〉，收錄於《皇明經世文編》（明崇禎刊本，國立中央圖書館收藏）卷二一三。

(八〇) 明朱衣點等撰，《崇明縣志》，十四卷（清康熙二十年序刊本）。

(八一) 明方岳貢等撰，《松江府志》，五十八卷（明崇禎四年刊本）卷一，〈圖經〉。

(八二) 有關永樂十七年在遼東半島發生之望海堝之役的文獻，除在此所舉者外，請參看前舉王婆楞，《歷代征倭文獻考》，永樂十七年條；及鄭樑生，《明史日本傳正補》，同年條；《明・日關係史の研究》，二七九～三八四頁。

(六三) 因找不到原書，所以請參看王婆楞在其《歷代征倭文獻考》所引《通鑑明紀》之文字。

(六四) 明王祥等修，任洛等重修，《遼東志》九卷（明嘉靖十六年遼東都司刊本），（卷首圖）。

(六五) 明李輔等纂修，重修《全遼志》六卷（傳鈔明嘉靖四十五年刊本），卷一，（圖書），「金州南境圖」。

(六六) 林道乾與林鳳之爲完全不同的兩個人事，除方志所紀者外，亦可從《明世宗實錄》，卷一三，萬曆元年五月庚辰朔癸巳條所紀「令提督兩廣侍郎殷正茂，督兵平海賊林道乾。聞山寇蕩平，叛招出海，駕言奔投外國。又林鳳、朱良寳等，濟惡猖狂。正茂計大集水陸之衆，期一鼓就擒。」及俞大猷，《正氣堂集》所紀（與淩山洋書）所謂：「海賊林道乾，逃去南番柬埔寨，上山居住，似無復回之理，若回，勢亦不大，容易滅也。唯林鳳逃去東南洋呂宋港中，暫時泊船，勢必復回。」獲得佐證。

善本書的明代日本貢使資料

一、前　言

洪武四年（一三七一）九月，明太祖曾御奉天門諭其省府臺臣，言：海外蠻夷有爲患於中國者不可不討，不爲患中國者不可輒自興兵。並引古人之言謂：地廣非久安之計，民勞乃易亂之源。譬如隋煬帝之興師征討琉球，殺害夷人，焚其宮室，俘擄男女數千。此種徒慕虛名之舉，終爲後世之譏㈠，乃人君之所不取。而他在即位之初，曾分遣使節前往四鄰各國詔諭其君長酋帥，自己已經成爲中華之主。更於其治世之末年定十五個不征之國㈡，即是他懷有此種理念的具體表現。四夷君長奉其詔諭後，非僅都接受中華冊封，與中華締結君臣之盟，奉行此種形態政治約束，而且連通商貿易也遵守以朝貢、回賜關係爲基準的種種限制㈢。

太祖以海外諸國進貢信使往來眞僞難辨，遂命禮部置勘合文簿發給諸國，俾往來俱有憑信以便稽考，以杜奸詐之弊。但遇入貢咨文，俱于所經各布政司比對勘合相同，然後發遣㈣。於是在洪武十六年始給暹羅、占城、眞臘三個國家㈤，以後漸及其他諸國。明廷首次爲日本製作之勘合爲永樂勘合，它與發給諸國、土官衙門者相同，「每改元則更造換給」㈥，共頒永樂、宣德、景泰、成化、弘治、正德六次。所謂勘合，乃是一種符信，是一種身分證明，以便貢使船隻和倭寇船隻有所區分㈦。明代的中、日兩國邦交，彼此遣往對方國家的使節，就是攜帶這種證明書來往的。

在洪武年間，太祖曾派遣使節前往日本四次，日本方面也以良懷（懷良）、日本、日本國、日本國臣（足利義滿）、征夷將軍源義滿、島津氏久等名義，共遣使來華十一次，但都未能建立正式邦交，直到太祖去世，惠帝在位的建文年間，明、日兩國邦交方纔正式開始。此後一直到嘉靖二十九年，因其國內情勢而中斷派遣爲止，共來了十七次。有關日方遣使的機運問題，筆者已在拙著《明代中日關係》㈧一書中有所說明，不擬在此贅述。

二、日本貢使的人選

明與日本的正式朝貢關係，始自惠帝建文三年（應永八年，一四〇一）。日本貢舶在正、副使下有居座、土官、從僧、通事等幹部。如衆所周知，日本貢使除首次由室町幕府第三代將軍足利義滿侍從祖阿，九州商人肥富爲正、副使外，其餘均由京都五山禪僧來擔任。當時的鎌倉五山雖也受幕府庇護，卻不及京都五山之優厚，此或許受地理環境的因素使然，反正鎌倉五山的禪僧是無人被選爲使節的。至於禪僧之所以被選爲使節的原因，乃在於瞭解中國，擅長寫中國文章⑨，而他們對中國知識的豐富，也是使他們能夠擔任使節的原因之一。他們在此一方面的知識，可以虎關師鍊爲代表⑩。而他們之能獲此機會，應與他們跟室町幕府始終保持著密切關係也有關。也就是說，他們之成爲貢使，是獲得天時、地利、人和的。

日本正使非出身五山不可。例如：成化四年（應仁二年，一四六八）來華的天與清啟，他原爲信濃國（長野縣）法全寺住持，當受命爲正使時，將軍足利義政曾書建仁寺公函給他，他就在該寺一宿後離去。其所以如此的原因，蓋賦予擔任正使的資格而已⑪。又，宣德八年（永享五年，一四三三）來貢的正使龍室道淵，原係浙江寧波人，三十歲時東渡日本，跟隨博多聖福寺的宏書記出家，歷住長門（山口縣）安國寺與聖福寺。因他熟稔中國國情，乃被迎至京都天龍寺。當足利義教復貢時，乃身負重任回祖國⑫。嘉靖二年（大永三年，一五二三）來貢的宗設謙道，與二十六年（天文十六年，一五四七）來貢的策彥周良，都是曾以居座或副使身分來華的。他們均經由掌管室町幕府外交、貿易事務的醍醐寺三寶院，或相國寺蔭涼軒的負責人推薦，來擔任這種職務。

正、副使以幕府使節身分代表貢使一行，在出發前要向幕府將軍辭行⑬，並親自從將軍手裏接受表文與別幅，搭其一號船來華，履行在奉天殿覲見明朝皇帝，呈遞表文，貢獻方物等身爲使節所應完成的任務⑭。在交易公、私雙方的附搭物貨時，則以貢舶代表的身分，與明之職官折衝官方收購其附搭物件的價格問題，其最具代表性人物，就是在景泰四年（享德二年，一四五三）來華的東洋允澎㊄。由於派遣貢舶可獲鉅利㊅，所以籌辦貢舶的有力財主自然在遴選正、副使方面煞費苦心。因此，固以才能的高低作取捨的標準，但他們之與派遣貢舶者的關係之疏密程度，也是考慮的重要因素之一，此事只要披閱《蔭涼軒日錄》的相關記載，便不難瞭解個中情形㊆。

三、日方文獻的日本貢使資料

日本中世留下的《蔭涼軒日錄》、《大乘院寺社雜事記》、《吉田家日次記》、《滿濟准后日記》、《善鄰國寶記》等文獻均記載著彼邦在遴選貢使，或其使華人員，及其貢使在華活動情形之若干資料，而那些被遣來華的部分貢使，亦留有記載他們使華情形的紀錄——《戊子入明記》、《咲雲入唐記》、《大明譜》、《策彥入明記》（《初渡集》、《再渡集》）等。其內容包括籌辦貢舶者，使節人員之組成份子，貢舶之大小，出發與返抵其國門之日期，以及貢使一行在停留中國期間所從事之各項活動，受領明廷賜與之廩給、口糧，或沿途各驛站間之里程等，均有或簡或詳的記載，使披閱者可從而推知當時的日本貢使活動之一切情形。這些紀錄中，其內容最爲詳盡的，應首推《策彥入明記》。策彥周良曾於嘉靖十八年（天文八年，一五三九），以副使身分，隨正使湖心碩鼎首次來華，留有日記《初渡集》；他第二次西航，則係以正使身分，於嘉靖二十六年到中原來，留有日記《再渡集》。此《策彥入明記》乃對瞭解明代日本貢使在華期間之活動情形不可或缺之資料。其記載當時之日本貢使在華之交易活動情形，而非出自貢使之手的，則以京都興福寺大乘院之尋尊和尚的日記—

—《大乘院寺社雜事記》爲首要。此日記的內容，除日本貢使在華期間的交易情形外，雖尚紀錄許多其他事情，但我們只要從中摭拾相關記載，便可明瞭那些貢使在中國採購物品的技巧，與他們可能獲得的利潤。例如：尋尊紀曾經以外官身分來華的楠葉西忍之話說：

在中國所得的貨款，於北都王城將本錢十文的物品以一貫出售。以此一貫所購的貨物，在南都以二貫出售。以此二貫在南都所購物品，在明州以三貫出售。又以此三貫買蠶絲回日本，有利也。㉘

而當時主管勘合的京都相國寺蔭涼軒軒主所紀日記——《蔭涼軒日錄》也說：

距北京一日路程的張家灣一帶乃產鹽地方。南京購鹽不易，故日本人多從張家灣將鹽販至南京出售。大唐嚴禁販售私鹽，因鹽乃天下之公事，后妃之梳妝費也。㉙

可見對金錢精明的日本人，不是巧妙的利用中國銀錢行市的差異來取得貿易之利，就是利用當時鹽之公賣，而從張家灣買鹽，攜往南京以高價出售，以獲取暴利。惟販私鹽者並非侷限於日本貢使，暹羅等國家的使臣也有同樣的不法行爲㉚。

日方文獻除上舉者外，雖尚有記載其貢使之出發或回國當時之動態者，如：《足利家官位記》、《教卿言記》、《異國使僧小錄》、《薩藩舊記》、《經覺私要鈔》、《臥雲日件錄》、《禿尾長柄帚》、《翰林五鳳集》、《補菴京華集》、《村菴藁》、《空華日用工夫略集》、《島隱集》等，及輯錄華人與日僧酬唱之詩文集與其序跋的《鄰交徵書》，然其文字皆甚簡略，難以探討其活動之詳情。而它們對明廷所遣使節在彼邦的動態之記述情形亦復如此。

四、善本書的日本貢使資料

中國文獻之記載明代日本貢使使華之活動情形較多者當首推《明實錄》。《實錄》對他們來華情形的相關記載，其文字容或有繁簡之分，但至少也能讓我們瞭解彼輩之究竟在哪一年來華，或者他們曾經向明廷提出些甚麼要求？他們在華期間曾經有過甚麼重大的違法舉動等。至於零星記載相關消息的則有鄭若曾的《籌海圖編》（明嘉靖四十一年本，天啟四年新安胡氏重刊本），鄭舜功的《日本一鑑》（民國二十八年據舊抄本影印本），鄭曉的《吾學編》（明隆慶元年海鹽鄭氏原刊本），黃光昇的《昭代典則》（萬曆二十八年金陵周日校刊本），陳治本的《皇明寶訓》（萬曆壬寅【三十年】秣陵周氏大有堂刊本），卜世昌、屠衡的《皇明通紀述遺》（萬曆三十三年刊本），嚴從簡的《殊域周咨錄》（萬曆間刊本），陳龍可的《皇明通紀》（明啟禎間刊本），陳建的《皇明從信錄》（明啟禎間刊本），陳建、袁黃、卜大有的《皇明通紀統宗》（明末坊刻本），張嘉和的《皇明通紀直解》（南明刊本），及若干方志，如《嘉靖寧波府志》等，它們的相關記載雖有助於日本貢使在華期間之動態的瞭解，卻無法據以從事深入的探討。因此，反而須靠《實錄》或《明史》〈日本傳〉的紀錄方能做進一步考察事情之眞相的依據。

前文雖說日本貢使曾經留下他們使華的苦干紀錄，然他們所紀錄者多是他們正常的一般性活動，或其準備儀裝出發的情形，對於他們違反明廷規定的行爲，或他們對明廷有所要求而與中朝交涉之事卻殊少記載，尤其明朝當局對他們的處置情形更是未曾提及。所以必須靠上舉中國文獻外的其他善本書資料來瞭解當時的明朝大臣們對日本貢使之違規行爲的意見，從而綜合《實錄》、《明史》以及明人的其他著作，方能把整個事件的來龍去脈，及對各該事件的處理情形更清楚的呈現。茲以寧波事件爲例說明如下：

世宗嘉靖二年（一五二三）四月，日本大內氏所遣以釋宗設謙道爲正使的貢船三艘來華朝貢。數日後，由禪僧鸞岡瑞佐，華裔日人宋素卿等率領百餘人亦抵華，並予導至寧波㊂。時市舶太監賴恩，私下接受素卿重賄，乃違反貢品先到者先盤驗，款宴席次先到者居上座之慣例，不僅先盤驗鸞岡之貨物，而且款宴時又使居上座。更有進者，賴恩對雙方住宿場所的分配，及其待遇亦有偏頗，遂觸怒宗設一行，引發了兩造貢使仇殺，並擄走明朝職官的大事件而震驚遠近。此一事件固爲當時日本國內大內、細川二氏爲爭辦貢舶而相互傾軋的延伸，但賴恩之受重賄而處事不公，卻是其導火線。《實錄》與《明史》（日本傳）對此事均留有紀錄，惟言而不詳。《籌海圖編》，卷二，（倭奴朝貢事略）對它所作的說明是：

（嘉靖二年）四月，夷船三隻譯傳西海道大內誼興國遣使宗設謙道入貢。越數日，夷船一隻，使人百餘，復稱南海道細川高國遣使瑞佐、宋素卿入貢，導至寧波江下。時市舶太監賴恩，私素卿重賄，坐之宗設之上；且貢船後至，先與盤發，遂至兩夷讎殺，毒流廛市。宗設之黨，追逐素卿，直抵紹興城下，不及，而還至寧波。脅寧波衛指揮袁進（璡），奪舟越關而遁。時備倭都指揮劉錦追賊，戰歿於海。定海衛掌印指揮李震，與知縣鄭餘慶同心濟變，一日數警，而城以無患。

《日本一鑑》〈窮河話海〉，卷七，〈使館〉條亦謂：

嘉靖癸未（二年），兩貢使俱至寧波，事屬違例。於時市舶太監賴恩，以兩貢使一館之於市舶司，一館之境清寺，雖館之兩處，待有偏頗，寺爲燔炳。

此一事件發生後，明廷曾經下令巡按御史歐珠調查。但調查結果如何？《實錄》與《明史》均未留下紀錄。但嚴從簡的《殊域周咨錄》，卷二〈日本〉條卻紀歐珠之奏言謂：

次日，將宋素卿等移入府城會審。據各稱：西海路多羅氏義興者，原係日本國所轄，向無進貢。我等朝獻，必由西海道經過。彼將正德年間勘合奪去，今本國只得將弘治年間勘合，由南海起程。至寧波，因我說出，怪恨被殺。

姑且不論素卿的供詞之眞僞，當禮部接獲歐珠奏疏後，曾立刻舉行部議，以「宋素卿來朝，勘合乃孝廟時所降，其武廟時勘合，稱爲宗設奪去，恐其言未可盡信，不宜容其入朝。」㊂而未完全採信其詞。且謂：

二夷相殺，釁起宗設，而宋素卿之黨被殺（甚）衆。雖素卿以華從夷，事在幼年，而長知效順，已蒙武宗宥免，毋容再問。惟令鎮巡等官省諭宋素卿，回國移咨國王，令其查明勘合，自

行究治，待當貢之年，奏請議處。㉝

既而禮科都給事中張翀，御史熊蘭等言各夷懷奸讐殺，事干犯順，乞明正其罪。世宗乃命繫宋素卿及宗設黨徒於獄，待報論決。仍令鎮巡等官詳鞫各夷情僞以聞㉞。上舉文中所謂：「素卿以華從夷，事在幼年，而長知效順，已蒙武宗宥免，毋容再問」云云，如據《明史》〈日本傳〉的記載，則：

（正德）五年春，其王源義澄，遣使宋素卿來貢。時劉瑾竊柄，納其黃金千兩。賜飛魚服，前所未有也。素卿，鄞縣朱氏子，名縞。幼習歌唱，倭使見，悅之。而縞叔澄，負其直，因以償縞。至是，充正使。至蘇州，澄與相見。後事覺，法當死。劉瑾庇之，謂澄已自首，並獲免。

有關宋素卿通倭獲免罪處分之經過雖可從〈日本傳〉得知其梗概，但張翀奏疏的內容如何？《實錄》與〈日本傳〉均隻字未提，使人有如墜入五里霧中，無法瞭解歐珠所指的「事干犯順」的內容到底指的是什麼？幸虧張翀當時所上〈杜狡夷以安中土疏〉被分別收錄於明人顧爾行所編《皇明兩朝疏鈔》（萬曆六年大名府刊本）卷一〇，〈編事類〉；朱吾弼編《皇明留臺奏議》（萬曆二十三年原刊本），卷一五，〈兵防類〉，及孫旬編《皇明疏鈔》（萬曆間刊本），卷五七，〈邊防〉四，使我們得以明瞭事情發生之初，實乃浙江職官並未能明辨兩造貢使之眞僞，遂導致偌大禍亂。張翀在該疏中曰：

乃今二起夷虜相繼到來，既曰譯得宗設等船隻人口數目差異，又稱譯得宋素卿等勘合後應銷繳而未銷繳之數。遞相訕詆，至於數日。則是各官已稔知其隙，情態矛盾，法應預防。況在彼無兩貢之例，在此無兩是之理。真僞未分，強弱已判。譬之群犬百十相聚，主之者所宜別其牢檻，嚴其羈絏，然後可保其無彼此呑噬之虞。一失措置，未有不狺狺而爭，傷及人者也。

繼則指責浙江職官之顢頇心態曰：

參照巡視海道按察司副使張芹，提督市舶司內官太監賴恩，布政司右參政朱鳴陽，都司署都指揮僉事張浩等，均承委注，慣樂因循，議處未定，而令素卿之盤據慢藏，啟窺瞰之奸，逆狀已形，而聽宗設之謝罪。當面甘愚弄之術，避地觀望，恣賊縱橫，謀未展于一籌，禍幾延於兩府。寧波府衛及備倭巡捕一應誤事，人員倉皇失措，自全。先事未能協心以提防，臨期不能併力以勦殺，遂致賊黨奔逸，莫之誰何。翱翔海濱，爲患叵測。苟或赦而不問，何以謝橫死之生靈？或黜而不戮，何以警積年之偷情？

因此，張翀認爲應通合據法查究，創艾後來。並請世宗勅下禮、兵二部作計議，備行淮浙閩廣鎭巡等官，凡沿海要害去處，如遇前項夷船到彼，就便督發官軍佐力截殺，仍行浙江鎭巡等官將見獲夷黨宋素卿等譯審明白，取問罪犯緣由，宋素卿先年潛從外夷人數。重賂逆瑾脫網生還宗設人衆，俱係從逆賊徒，罪在不赦。通合正之典刑，以昭天朝之法，以嚴夷夏之防。但其中間容有出于脇從，非其本意，亦須分別等第，量遣情輕數人歸本國，以示中華好生之意㉟。

然張翀對此一事件所作的報告內容未必詳盡，必須由當時的兵科給事中夏言的〈請勘處倭寇事情疏〉㊱加以補充說明，方能將明廷處理此一事件之經過考察得更爲清楚。因爲夏言在此疏中曾引張翀、熊蘭等人上疏後世宗所下勅諭謂：

這進貢夷人大肆狂悖，圍城劫庫，放火殺人，拒敵官兵，占據門禁，逆謀顯著。巡視守巡等官先事不能關防，臨事不能擒捕，以致奔逸入海；殺死備倭官員，情罪俱重。本當拏解來京，但有事之際，且都住了俸，著鎮巡等官督率各官調集官兵，嚴加防守，設法追捕。務將首惡及餘黨日下擒捕，究問明白。並失事官員分別等第，奏來處治。還通行各該備倭衙門一體防禦，毋得觀望推託，致誤事機。

據此，我們便可以瞭解世宗對失事巡視守巡等官員的處置情形。至於對備倭官員及死事官員的處置，則該疏續引上舉之勅諭曰：

這進貢番船進港日久，各該官員不行遵照舊例上緊盤驗，以致夷人在於中國地方殺人放火，戕害總督備倭官員，失事情重。馮恩等並張芹，著巡按御史提問明白，奏來處治，不許回護容隱。賴恩雖無地方之責，提督欠嚴，本當究問。且饒這遭，著改過自新，以圖後效。劉錦既情有可憫，贈指揮使，與陣亡的張鏜、胡源子孫各照例陞襲一級。劉恩及詹尚等都量與優恤。

因《實錄》與〈日本傳〉均未言及處置失事官員，恤錄死事者，及賴恩所以未受處分之事，故夏言疏中所引詔勅之內容，非但可以補充《實錄》之不足，而且還可以瞭解那些官員所受懲戒與撫恤的大致情況。如非有此奏疏被保留下來，那麼，後世的人就無法得知明廷處理此一事件的經過與內容，並且那些爲國死難者如：張鏜、胡源、劉恩、詹尚等人之姓名也永無彰顯之一日。至於夏言在疏中所謂：

> 東南疆場之臣，忘忽武備，廢棄職守，反外夷之不若。方且務爲掩蔽，苟延罪遣。若不嚴加勘治，何以示戒將來？參照鎮守三司守巡重臣，濫膺朝廷藩方重任，不能協謀畫策，以保障地方。市舶、海道備倭衙門，不能遵守舊規，嚴設武備以禁防禍亂。寧、紹府衛所寨掌印巡捕大小官員，坐視夷寇縱橫來往於封域之內，殺戮攻劫於旬日之久，如蹈無人之境，略無捍禦之方。以上職任，雖有不同，俱各無所逃罪。訪聞前項倭夷到來之時，實因各官從事怠緩，處置失宜，釀成禍亂。及至變作，卻又一籌不展。狼狽失措，貽害生靈。甚至以城門之扃鑰，付之賊首；以日本之國號，封我東庫。舉火自焚舶司，差官爲賊嚮導。閫帥墜馬而走匿民家，守臣棄城而縱賊焚劫。沿餘姚江吶喊殺人，地方之驚擾可知。抵紹興城逼令獻賊，府衛之官何在？且宗設所領倭夷不滿百十餘人，而寧、紹兩郡居民何啻百萬？今乃任彼兇殘，肆意攻略，畢竟無與爲敵。尚謂國有其人，致使蕞爾島夷蔑視華夏，蹂躪城郭，破壞閭閻，殺死都司方面，質虜指揮，貽國大恥。

亦可以使讀者得知當時日本貢使跋扈的情形，與浙江地方官員之禦敵無方。因此，善本書的相關資料，對瞭解明代日本貢使在華期間的行爲實有莫大裨益。但此處只不過就寧波事件關係之重要善本書資料而言，至於在此一事件以後日本使節來貢時，他們對明廷所提出的要求——發還宗設舊貨，頒發嘉靖新勘合等，我們如欲瞭解明廷對他們所提要求的處置情形，則除查閱《實錄》與《明史》外，則尚須參閱在嘉靖十八年當時位居禮部尚書要職的嚴嵩之奏疏——〈會議日本朝貢事宜疏〉等㉗。嚴嵩本身的操守雖爲國人所不齒，成爲千古唾罵的對象，但他留下來的那些奏疏卻能爲我們解開當時的明廷如何處置上舉日本貢使種種要求之謎，所以就史料而言非常寶貴。又，明廷對於在喜靖二十六年人、船踰額，先期而至的日本貢使之處置始末，則必須參看當時身居浙江巡撫與大學士要職的朱紈、徐階等人的奏疏，否則便無法把事情弄清楚。由此可知，善本書中所載的明代日本貢使資料是多麼重要了。

五、結　語

以上係就善本書資料對明代日本貢使在華期間的活動情形之研究的重要性作簡單的介紹。惟得在此附帶一提的，就是在一九八三年六月，東京國書刊行會曾經刊行日本湯谷稔教授編輯的《日明勘合貿易史料》一册（二十五開，六七一頁）。此一史料集除輯錄《明實錄》之部分關係資料外，兼輯《皇明資治通紀》、《明集禮》、《修史爲徵》、《明紀》、《明大政纂要》、《吾學編》、《圖書編》、《日本一鑑》、《日本考略》、《月令廣義》、《明會典》、《閩書》、《名山藏》、《殊域周咨錄》、《四明志》、《八閩通志》、《日本圖纂》、《續文獻通考》、《皇明經世文編》、《大學衍義補》、《大明律》、《明史紀事本末》、《朱中丞甓餘雜集》、《明史稿》、《鄞縣志》、《經國雄略》、《蒼霞草》等書（以上據其出現先後次序排列），並加日式句讀，但目前典藏於臺灣的部分善本書資料則付之闕如，未見收入。湯谷氏在序中說此一《史料》乃有關明代中、日貢船貿易者，其重點放在它與日本五山之間的關係，與夫其他佛教寺院之經濟活動與交通路線方面。其史料則來自內閣文庫、大阪府立圖書館、鹿兒島縣立圖書館、山口縣立公文書館、花園大學內禪文化研究等。惟該史料集未能將收錄浙江地方官給與喜靖二十六年使華之日本貢使的公文集，亦即目前佚存彼邦的《嘉靖公牘集》㊅，和臺灣公藏的善本書資料，誠爲美中不足處。然如欠缺《嘉靖公牘集》與目前臺灣所有此一方面之文獻，則對於明代日本貢使在華期間的行爲，及他們所遭遇之問題，與明廷對其行爲和所遇問題所採取的因應措施便無從探究清楚。因此，今後凡研此一方面之問題時，除參考上舉各書資料外，如能再從善本書中發掘相關資料，則對其考察事情的眞相必有相當助益是不待言的。

【註　釋】

㊀ 明陳治本等編，《皇明寶訓》（明萬曆刊本），卷六，〈馭夷狄〉，〈太祖高皇帝實訓〉。

㊁ 明太祖勅撰，《皇明祖訓》（明洪武間內府刊本），〈四方諸夷〉條。請參看《祖訓錄》，及石原道博，〈日明交涉の開始と不征國日本の成立——明代の日本觀〉（《茨城大學文理學部紀要》「人文科學」四）等一系列論文；中村榮孝，〈明太祖家法に見える侵略戰爭抑制の規定——祖訓錄と皇明祖訓の對外關係條文〉（《朝鮮學報》，第四十八輯）；佐久間重男，〈明初の日中關係をめぐる二三の問題——洪武帝の對外政策を中心として〉（《北海道大學人文科學論集》，四）等。

㊂ 請參看鄭樑生，《明代中日關係研究》（民國七十四年，臺北，文史哲出版社），一六〇～一六一頁。

㊃ 明鄧球撰，《皇明泳化類編》（明隆慶間刊影鈔補本）上集，〈貢獻〉，卷二〇，〈諸夷貢物〉條。

㊄ 《大明會典》（明正德四年司禮監刊本），卷一〇八，〈禮部〉，〈朝貢〉條；明不著撰人，《皇明外夷朝貢考》（舊鈔本），卷下，〈事例〉。

㊅ 《大明會典》，卷一〇八，〈禮部〉，〈朝貢〉條。

㊆ 瑞溪周鳳，《善鄰國寶記》（續群書類從本），卷中，〈文明二年龍集庚寅臘月廿三日卧雲八十翁瑞溪周鳳書于善鄰國寶記後〉。請參看馮興盛，〈試論勘合制度的實質——兼論倭寇問題〉，收錄於《日本史論集》（一九八五年，瀋陽，遼寧人民出版社），四五一頁。

㊇ 請參看鄭樑生，《明代中日關係研究》，一五八～一六三頁。

㊈ 五山禪僧之擅長中國文學事，可由上村觀堂編，《五山文學全集》（昭和四十八年，京都，思文閣）五鉅冊，及玉村竹二編，《五山文學新集》（一九六七～一九七二年，東京，東京大學出版會）七鉅冊；蔭木英雄，《五山詩史の研究》（昭和五十二年，東京，笠間書院）看出來。

㊉ 中巖圓月，《東海一漚集》（五山文學新集本），卷三，〈與虎關和尚〉書云：「微達聖域，度越古人。強記精知，且善著述。凡吾西方經籍五千餘軸，莫不究達其奧，置之勿論。其餘上從虞、夏、商、周，下達漢、魏、唐、宋，乃究其典謨、訓誥、矢命之書，通其風、賦、比、興、雅、頌之詩。以一字褒貶，考百王之通典。就六爻貞𠡒，參三才之玄根。明堂之說，封禪之儀，移風易俗之樂，應答接問之

論，以至子思、孟軻、荀卿、楊（揚）雄、王通之編，旁入老、列、莊、騷、班固、范曄、太史紀傳，三國及南北八代之史，隋唐以降五代、趙宋之紀傳，乃復曹、謝、李、杜、韓、柳、歐陽、三蘇、司馬光、黃、陳、晁、張、江西之宗，伊洛之學，……可謂座下於斯文不羞古矣。」可見其學問之淵博。

⑪ 《蔭涼軒日錄》，長祿四年七月二日、二十九日，同年八月十七日各條。

⑫ 《宣宗實錄》，卷一〇三，宣德八年五月癸丑朔甲寅條；六月壬寅朔壬辰條。瑞溪周鳳，《善鄰國寶記》，卷中，永享五年〈大明諭日本使〉。《異國使僧小錄》。

⑬ 《蔭涼軒日錄》，寬正五年七月六日條。

⑭ 有關日本貢使抵華後執行其任務的情形，詳於策彥周良的《初渡集》。

⑮ 有關東洋允澎與明之職官交涉其附搭物件之收購價格的問題，請參看《英宗實錄》，卷二三七，景泰五年正月癸丑朔乙丑條；卷二三八，同年二月壬午朔乙巳條；《神戶市史》，第二輯〈別錄〉，一〇八～一〇九頁。

⑯ 請參看後文所引之尋尊，《大乘院寺社雜事記》，永正二年五月四日條的記事。

⑰ 請參看鄭樑生，《明代中日關係研究》，二一五～二一八頁。

⑱ 尋尊，《大乘院寺社雜事記》，永正二年五月四日條。

⑲ 《蔭涼軒日錄》，長享二年九月十三日條。

⑳ 瑞溪周鳳，《善鄰國寶記》，卷中，〈成化二十一年二月十五日大明書〉云：「曩歲暹羅等國，差使臣

進貢回還，其通事夷人多不守禮法。沿途挾帶船隻，裝載私鹽，收買人口，姦淫汙辱。又爭搶浩鬧，刃傷平人。」

(二一) 鄭若曾，《籌海圖編》，卷二，〈倭奴朝事略〉，嘉靖二年條；葉向高，《蒼霞草》（明萬曆三十四年陳邦瞻等刊本），卷一九，〈日本考〉，同年條。

(二二) 《世宗實錄》，卷二八，嘉靖二年六月庚子朔戊辰條。

(二三) 同前。

(二四) 同前。

(二五) 張翀，〈杜狡夷以安中土疏〉。

(二六) 夏言，《桂州奏議》（明嘉靖間刊本），卷二。

(二七) 嚴嵩，《南宮奏議》（明嘉靖間鈐山堂刊本），卷二，亦被收錄於《皇明經世文編》（明崇禎間刊本），卷二一九三。

(二八) 請參看大庭脩，〈芳洲文庫の嘉靖公牘集について〉（關西大學《東西學術研究所紀要》，十）。

嘉靖年間明廷對日本貢使策彥周良的處置始末

一、前　言

明太祖爲防倭寇入侵，與由政府來統制對外貿易㊀，故曾經實施海禁政策，所以明代的外貿只許貢舶來華。當許某一國家遣貢舶時，明朝就事先頒給勘合，於其貢舶抵華之際核對，以辨其眞僞。明廷首次爲日本製作之勘合爲永樂勘合，它與發給諸國、土官衙門者相同，「每改元則更造換給」㊁，共頒永樂、宣德、景泰、成化、弘治、正德六次，如要換領新勘合時，必須先把未用完的悉數繳回。明廷對諸外國之來貢雖有貢期、人數、舶數之限制，但成祖永樂年間（一四〇三～一四二四），對日本貢舶之來華並未將此一限制嚴格加以執行，所以幾乎每年都來。代宗景泰年間（一四五〇～一四五六），因其人數、舶數超過往日甚多，而且在此以後，也往往因供億貢使須龐大經費，貢使附搭貨物多，及他們時有暴行，方纔給與較嚴之約束。迄至嘉靖二年（一五二三），其大內、細川兩造貢使因互爭眞僞，在寧波引發暴亂以後，明廷乃不得不特別嚴格要求其遵守規定，而尤以嘉靖十

八、二十六年，分別以湖心碩鼎、策彥周良爲正使來貢時爲尤然。

有關周良來貢之事，前輩學者已有研究，尤其小葉田淳教授已有較詳細的考察，但關西大學教授大庭脩先生最近發現若干佚存日本的史料，而將它們提供筆者，加之，中央圖書館典藏之善本書亦有若干資料未曾被公開引用，遂不揣淺漏，擬再詳考嘉靖間明廷如何處置策彥周良來貢的問題。

二、寧波事件始末

世宗嘉靖二年四月，日本大內氏所遣以釋宗設謙道爲正使的貢船三艘來華朝貢。越數日，細川氏所遣貢船一艘，由禪僧鸞岡瑞佐，華裔日人宋素卿等率領百餘人亦抵華，並予導至浙江寧波㊂。時市舶太監賴恩，私下接受素卿重賄，乃違反貢品先到者先盤驗，款宴席次先到者居上座之慣例，不僅先盤驗鸞岡之貨物，而且款宴時，又使居上座。更有進者，賴恩對雙方住宿場所的分配及其待遇亦有偏頗，遂至兩夷仇殺，毒流廛市。宗設之黨追逐素卿，直抵紹興城下。不及，乃返至寧波，襲擊寧波府職官，焚燬市舶司與館穀貢使的嘉賓館，更脅迫寧波衛指揮袁璡，奪舟越關而還。時備倭指揮劉錦追賊，戰歿於海。定海衛掌印指揮李震，與知縣鄭餘慶同心應變，一日數警，而城得以無患㊃。此即所謂「寧波事件」。此一事件固爲日本爭奪對華貢舶貿易之利的大內、細川二氏，及以該二氏爲靠山的博多（福岡縣）、堺（大阪府）兩地商人因在其國內爲此勾心鬥角，與互相傾軋之事延伸到中國爆發起來的結果，卻導致明、日兩國關係惡化。當時明廷欲以日本之擒送宗設等人，及送還指揮袁璡來做一個解決，所以在事件過後不久，當琉球使臣鄭繩來貢而於其返國之際，即命中山王傳諭日本，以擒獻宗設，歸還袁璡及海濱被掠之人，否則閉關絶貢，徐議征討㈤。鄭繩來貢，在嘉靖四年三月㈥，而世宗於其歸國之際使其齎勅轉諭日本，則爲同年六月㈦，並且認爲宗設即此一事件之元兇。

　　嘉靖六年六月末至七月初，琉球僧侶智仙鶴翁奉其國王尚眞之命，自其本國抵位於京都之室町幕府（一三三六～一五七三），傳達世宗詔勅。同年七月二十四日，將軍足利義晴函謝尚眞調停中日兩國關係㈧。因世宗勅書表示以擒獻元兇宗設等，及歸還指揮袁璡來解決中日兩國問題，故日方以爲和解已經成立，所以在表文中言：「茲自琉球國遠傳勅書，寬宥之敕，不忘側陋㈨。」其〈別副〉則言：

　　近年吾國遣僧瑞佐西堂、宋素卿等齊（齎）弘治勘合而進貢，又聞西人宗設等，竊持正德勘合，號進貢船。蓋了龍梧西堂東歸之時，弊邑多虞，干戈梗路，以故正德勘合不達東都。吾即用弘治勘合，謹修職貢，未丁怠也。如勅諭旨，宗設等爲僞，不言可知矣。大內多多良義興氏幕下臣神代源太郎爲其元惡，故就誅戮彼所。虜而來大邦之人，前年既發船以還之，中流遇風，船不克進，尚滯西鄙，近日當還焉！大邦所留妙賀、素卿，其餘生而存者，不論多少，以仁見恕。幸甚！幸甚！然則先令妙賀等到琉球，而可歸吾國。前代所賜金印，頃因兵亂，失其所在，故用花判而爲信，琉球僧所知也，伏希尊察。妙賀、素卿歸國之時，賜新勘合并金印，則永以爲寶。聖德及遠，不可諼焉！吾當方物件件，隋例進貢。妙賀輩而兩三人，命管領道永以遣書矣！⑩

由此看來，室町幕府係以鸞岡瑞佐、宋素卿爲眞貢使，弘治勘合爲正，宗設謙道及其所持正德勘合爲僞。此當係細川氏藉足利義晴書作有利於己之解釋⑪。因此，日方不但沒有承擔此一事件之責任的意思，反而作有利其立場的辯護，以貪圖貿易之利。故其在十八年大內氏經辦之貢船來華時，除重作上述要求外，並乞還宗設之舊貨⑫。因日方始終在推諉責任，所以明朝當局在初時雖威嚇如不接受此方所提條件，就要閉關絶貢，但如爲正式貢舶，則未予深究，此可由《明史》〈日本傳〉所謂：「果誠心效順，如制遣送」⑬，瞭解個中情形。

由於此一事件的發生，使明朝當局對日本更加戒懼，而給日後來貢的策彥周良等人帶來很大影響。下文擬就此一問題加以考察。

三、周良首次來華

在敘述策彥周良來貢之前，擬先簡介他係何許人物。如據《本朝高僧傳》、《延寶傳燈錄》，已故辻善之助教授著《日本佛教史》中世篇，及牧田諦亮教授著《策彥入明記研究》下冊等書所紀，則周良乃室町幕府管領⑭細川氏之家臣井上宗信的第三子。他生於明孝宗弘治十四年（文龜元年，一五○一）。九歲入佛門，投京都北山鹿苑寺（金閣寺）心翁等安之門，而自幼即擅長中國詩文云。後來則從乃師等安住京都天龍寺搭頭之妙智院，受武將大內義隆之請來華兩次，東返以後仍住該院。其間，除曾一度應武將武田信玄之聘，往甲斐（山梨縣）住惠林寺外，終其一生於妙智院。晚年受武將織田信長之皈依，於明神宗萬曆七年（天正七年，一五七九）入寂，世壽七十九。

周良之應大內義隆之請，以朝貢副使身分，隋正使釋湖心碩鼎首次來華，是在嘉靖十八年（天文八年，一五三九）。他於同年三月五日，自博多出發西來，越明年七月十日返抵赤間關（關門海峽）。他此次來華，留有日記——《初渡集》，對其來華與往返北京途次之里程，與夫在華期間之活動情形均有所紀錄。他第二次西航，則係以正使身分，率領副使以下六三七人，及貢舶四艘，於嘉靖二十六年二月十一日從周防（山口縣）之山口艤裝出發，三月三日抵博多。八日，前往志賀島（福岡縣）。五月四日，自五島列島（長崎縣）中的奈留島啟航，於中國完成其貢使使命及一切商務後，在二十九年六月九日回到山口。他此次來華雖亦曾留下日記——《再渡集》，但所紀內容遠較《初渡集》簡略，書寫期間也較短，係從他滯留寧波之二十六年十一月一日寫起，至二十八年八月三十日止，亦即自北京南返寧波途次擱筆。故其一行此次在華活動的梗概，胥賴柳井藏人所紀署有「嘉靖二十九年四月十五日」之日期的《大明譜》來瞭解其梗概㊇。

由於周良之首次來華係在上述寧波事件之後，故雖事隔十七年，明廷卻懲於寧波之案，對日本貢使之來頗爲警戒，絲毫不敢有所怠忽，深恐再度發生意外。並且對日本的貢期、舶數、人員之多寡也特別留意而不肯通融。明廷所採取與此類似的措施，早在景泰四年（享德二年，一四五三），以東洋允澎爲正使，率船九艘，人員一千二百來貢以後即已開始，而限制其十年一貢，船不過三，人不踰百㊅。而他們竟於嘉靖二年惹起偌大事件，明廷對其來貢當然特別加以注意。就連世宗也說：

夷性多譎，不可輕信。所在巡按御史督同三司官嚴加譯審，果係效順，如例起送。仍嚴禁所在居民無私與交通，以滋禍亂。㊆

由此當可推知明廷對日本此次來貢的態度之端倪。

周良一行的進京雖係翌年三月上旬，但在二月時禮部對其一行曾作如下之處置：

初，日本自嘉靖二年因宋素卿、宗設等事絕其朝貢，至是復請通貢。因乞給賜嘉靖新勘合及歸素卿等并原留貨物。言官論其不可。上命禮部會兵、刑二部、都察院僉議以聞。㊇

有關禮部覆議的情形，當時的禮部尚書嚴嵩之奏疏中有較詳細的敘述云：

禮部題覆宋素卿等奉有明旨，監候處決。貨物係沒官之物，俱難再議，妄意乞求，罔知國法。已經夷情譎詐不常，既稱納款，卻又欲發還留在貨物及罪犯宋素卿等，率未准從矣！而該（禮）科復論奏前因，無特欲修明法制，以折其將來求請之意。至于請給勘合一節，亦經禮部題奉欽依，准令下次該貢之年，將弘治、正德勘合進繳，方與改給嘉靖新勘合，所以防其僞罔，似難再議。……茲者日本之夷，仰遵明旨，既已容其入貢，雖其所請三事委涉非分，已經禮部面詰其使，以義裁之，彼帖然而畏服矣！茲復議絕之，似出無名。且王者之馭四夷，有不庭也者則征之。今來貢也絕之，恐無以感興四夷嚮服之情。所據外夷進貢，關係甚大，應否禁絕，臣等擅難輕議。但往後入貢事宜，要當預爲之處。合無禮部查照大明會典，及嘉靖六年題准事例，移咨該國，務要遵制十年一貢，夷使不過百名，貢船不過三隻，勿得指貢多帶兵器，別起事端。如貢不及期，人、船過額，及文移詞語不順，使臣不恭，求討非禮等項，聽浙江巡按御史徑自奏請阻回，不許起送，則法制允釐，恩威並著。既不拒其來王之誠，而亦遏其非禮之望矣！⑲

上舉疏中所謂「嘉靖六年題准事例」，乃指浙江巡按御史楊彝所題：

舊例，日本入貢，以十年爲期，徒衆不得過百人，貢舡不得過三隻，亦不許以兵仗自隨。正德六年以後，使臣（了菴）桂悟、宗設等，各徒衆至五六百人。又有副使守（宋）素卿等一百五十人，各詰真僞，爭端滋起。請令布政司移咨本國，今後遣使入貢，務遵定例。如違，定行阻回。仍行巡海備倭諸臣修戰具，謹烽堠，選鋒蓄銳，以戒不虞。⑳

而言。此一意見曾獲世宗之同意。所以兵、刑二部與都察院會議結果，乃作如次之覆言：

夷情譎詐難信，勘合舊給繳完始易以新。素卿等罪惡深重，貨物已經入官，俱不宜許。以後貢期定以十年，夷使不過百名，貢船不過三隻，違者阻回，督遣使者歸國。仍飭沿海備倭衙門嚴爲之備。㉑

結果，世宗聽從他們的意見。

明廷對日本貢使的要求既作如此決定，禮部乃於四月十日據此決定牌示其正使云：

該國既稱宗設詐圖朝貢，干犯國憲，是該國不知情矣！其沒官貨物，係有罪之贓，焉得請討？

若宋素卿貨物，先因鏟殺燒盡，無憑給與。且先年奉旨不許朝貢，待擒送罪人宗設等，及送還袁指揮，方許奏請定奪。今宗設、袁指揮，俱未見有真正下落，朝廷念爾航海之苦；又據通事人等審稱，別無他，故容入貢。賞賜之類，又准照例，朝廷柔遠之恩至矣！今乃執以貨物爲言，是此來專爲利也，敬順之意何在？今朝廷且不深究袁指揮漂沒來歷，該國反以貨物爲言，可乎？㉒

認爲他們此次來華專爲利而没有敬順上國之意，而拒絕其請求。然周良一行對明朝當局的此種處置並不心服，乃於兩天後呈上如下之奏疏，復訴請歸還其舊貨及頒賜嘉靖新勘合云：

日本國差來正使等謹呈：爲進貢事，本月初十日，老爹大老大人傳聖旨責諭，以不送還袁指揮及擒送罪人宗設等事。若宗設，在上國寧波斬死，國人豈不知之乎？袁指揮乃嘉靖十年雖附妙賀送還上國，爲大風漂没於中流，此皆非人力之所堪，天神地祇（祗）之所昭鑑也，別無虛誕矣！雖然輿論所誣，群疑未解，爲之奈何？乞今俾使臣中一人留上國，代表指揮當國刑以贖其罪，是致誠於魏闕，竭孤忠於吾王也。凡奉使於遠方者，以達事守節，不辱使命爲己任重也。吾王改前轍，續斷絃，誠心脩職貢。（湖心碩）鼎等謬膺器使，如其事不達而倉皇歸國，則吾王必責曰：件件事既具別幅以聞，然而倆等辱我命於大國，其罪孰大焉？就戮如指掌也。迷惑之至，進退維谷。㉓

而以爲其王乞舊貨之一舉，乃平素唯有富國拯民之意所致，全非先利而後貢。且說：

顧夫鼎等之於老爹大老大人猶如赤子，赤子如無乳養之恩，何以全微命哉？伏希感吾王修貢之誠，憫使臣遠來之勞，詳轉達愚訟於天聰，復舊貨物，頒新勘合，則弗勝感戴之至。一則俾生還，使臣等出免刑之路，二則可使國王世世稱臣，奉貢不絕，此安寧長久之道也。謹稟白，恐懼不宣！㉞

而希望明廷感其王修貢之誠，憫使臣遠來之勞，俯允其所請，俾能完成其使命。

由上述可知，寧波事件過後，明廷雖欲以擒送元兇宗設，及送還指揮袁璡來作解決事情的方案，但日方卻要求歸還宗設舊貨與宋素卿，並頒賜金印與嘉靖新勘合而不無推卸責任之態度。而所謂「宗設在上國寧波斬死，國人豈不知之乎？」云云，無非欺瞞之語，實則前文所言「奪舟越關而還」才是實情。初時，明廷雖威嚇日本如不聽從要求，便要閉關絕貢，然因日本並未遵行其要求，所以方纔牌示：「先年奉旨不許朝貢，待擒送罪人宗設等，及送還袁指揮，方許奏請定奪。」但「果係效順，如例遣送」，「朝廷且不深究袁指揮漂沒來歷」，而未對日本採取積極的閉關絕貢措施，只審查其來人之眞僞，與是否有姦謀異志而已㉟。因此，還是如例起送，而貢使一行也順利完成其朝貢使命，但其分外要求並不爲明廷所允許而已。

四、周良再次來貢

前文已說策彥周良之再度使華，係以貢舶四艘，人員六百餘，在嘉靖二十六年二月十一日，從周防之山口艤裝出發，五月四日自五島列島之奈留揚帆西來。因其《再渡集》是從同年十一月一日寫起，至二十八年九月三十日擱筆，故無從得知其抵華的確實日期，但柳井藏人在寧波所紀《大明譜》，卻可補充此一方面的缺陷。如據此一紀錄，則他們曾於二十六年五月十二日發現中國之島嶼。其一號船於翌日抵台州。十三日，三號船在温州遇海盜。六月一日，偕抵定海。往日當貢使到達定海時，中國官方會遣船來聯絡，安排其前往寧波事宜。惟因他們違反明朝規定，故爲寧波府官員所阻。加之，前此嘉靖二十三年時有釋壽光，二十五年則復有清梁等人來求貢㉖，故浙江守臣對周良一行之來華不敢掉以輕心，深恐發生意外。且予以開諭云：

寧波府諭日本使臣周良，我皇明之王天下也，薄海內外，罔不來賓，長馭遠駕，前古未有。然而小大之邦，無論遠邇，入貢必有常期，使臣必有常數，所以昭大信於無外，而華夷有定守也。其在爾日本，則貢以十年爲期，人以百餘爲度，此先朝舊例，而上之拾捌年所申命之者也。比來爾國往往違例求貢，釋壽光以廿叄年至，清梁等以廿五年至。其蔑棄王章，敢無反紀亦甚矣。節經壹憲劾奏，欲從重典，賴我聖明寬宥，姑置勿問。但將沿海將士，但置於法，仍戒自今貢期不及，及人船過額者，徑自阻回，不容入港，有違者定以軍法從事。此則近年題准事例，視昔又加嚴矣！爲照汝等以拾捌年入貢，至是已及玖年，稍待半年，則貢期及矣！然信之一字，華夷之所共守以成其義者也。苟違大信，雖小選不可，而況於壹年一乎？且汝國之違例求貢，至是已三度矣！……汝國遣使非時，則其失不在汝也。然汝心兢兢，猶懼不免於刑戮。今汝非時求入，則失在汝矣！而吾容汝徑入，則其在失，又在吾矣！吾與汝雖欲不懼，亦焉得而不懼也？……但緣貢未及期，人船過額，例應阻回。㉗

此諭乃責備日本貢使之沒有遵守明朝規定，而要他們暫且返航，於半年後再來。此諭所署日期爲嘉靖二十六年六月初五日，「初五」兩字是用朱筆書寫的。五日後，定海縣知縣金氏亦諭謂：

我朝十年一貢，既未嘗不通其情，人船有額，亦未嘗不節。㉘

並且分別列舉分守老爹左參議郎，及分巡兼海道僉事謝，寧波府知府魏等人之批詞，以爲倭夷入貢非時，人船踰額，已經近年奉有題准事例，通判、把總、定海縣衙門等應予防守，不許輕容進港，應徑自阻回㉙。周良對其未遵守明廷之三項限制雖曾呈文以自辯，但寧波知府卻認爲其回呈頗多遁辭。曰：

夫貢以十年爲期，自入朝時計之也。今計自起行之時，則是以彼國爲主，而非所以尊天朝也，此不通之論也。至謂勘合不全繳者，懼有覆溺之患也，其說似矣！然自古及今，曾有數舟一時遭覆溺者乎？夫謂船之過額者，慮有寇盜也，其說亦似矣！然昨年壽光、清涼等，俱各以一舟來而復返，未聞有患盜者也。此謂將欲欺人而先自欺者也，亦知夷意無他，不過懇求入貢耳。㉚

且言朝廷並非不欲其入貢，但欲其入貢以時。所司亦非不樂其來貢，但恐其來不以時，則彼此俱以此獲罪，豈不大謬？況貢期非遠，所爭半年，何不稍待而爲萬全之計？今必欲先期而入，則沿海將士官吏罪固莫逃，萬一聖意叵測，又將被詰阻回，則彼亦何利之有？誠如古人所說，欲速則不達，不若水到渠成。抑有進者，人踰六百，船計四隻，此於明例，背違尤甚。雖使及期，亦難俱容入港，更何況尚未及期㉛。巡海道官潘鼎，也在其論文中對周良之呈文內容加以反駁曰：

> 據奉委譯審各官呈報汝等登書帖開稱：先次進貢，自嘉靖二十年離汝國，至今總計十年。夫進貢所以尊我天朝，當以入我天朝之年爲率。其初離汝國之年，豈足計乎？即加汝等以離汝國之年總計之，則汝等今次稱係二十四年離汝國，亦當總合前數矣！夫以入天朝之年計之，則自十八年至二十六年，纔九年耳。以離汝國之年計之，則自十七年至二十四年，纔八年耳，皆非進貢正期也。㉜

而認爲大信所在，豈容巧詞抵飾？你們雖係異域，然觀其書帖，頗請文理，亦可與言善者。試反覆思之，當自然悔悟，豈待余言？況暫回半年，即是貢期，何不速作歸計，將多餘人、船盡行裁減，稍遲數日，至明春遵例來貢，共守明信？如此，既可見重於天朝，而華夷亦可相安以終始。倘認爲遠離你們國家前來而執迷不返，則當劾奏於朝廷，以請處分。萬一皇心震怒，大肆誅戮，不惟阻絕你們國家的貢路，而你們且不得保首領以歸，果如此則何利之有？你們如能自決於心，知明旨之不敢違，悟大信之不可失，即日迴帆歸國。歸國本道，尚當仰體朝廷柔遠之意，多遣官軍防送出洋，仍以禮儀優待，否則惟知有我天朝禁令法度，他非所顧，所以你們應當共審慎考慮㉝。周良對浙江官員的這些諭文必須有所辯白，俾能達到他此次來貢之目的，而《大明譜》中所謂的「愁訴」㉞，應係指他對上舉諭文之答辯，與爲要達到其請求所爲之申述而言。他們以愬訴方式，與浙江職官交涉朝貢事宜而在定海外海逗留了三十天，但並未能達到目的㉟。守臣雖拒絕其入貢而欲予阻回，使其遲以半歲，人、船稍裁以後再來，卻也念其居常素食，奉佛尤謹，且久泊外海而蔬菜必乏，乃於六月十三日特遣官督同通事，賜與瓜菜少許，以見慰藉之意㊱。其於翌日由寧波府具名的物品清單，該是當時所賜的食物內容與其數量㊲。

五、朱紈處置之經過

周良一行於定海外海停泊三十日後，於七月二日移泊定海之南的嶴山（見附圖）以待貢期。六日後，浙江巡撫朱紈奉勅處理此事。《世宗實錄》，卷三三〇，嘉靖二十六年十一月戊寅朔丁酉條云：

> 日本國王源義晴，遣使周良等求貢。故事：倭夷十年一貢，舡不過三，人不過百。良等以四船六百人先期而至，欲泊待明春貢期，守臣阻之，以風爲解。至是，疏聞。上曰：倭夷不守貢期，又挾帶人、船越數。三司、巡海等官不遵例阻回，乃容潛住港外，引起事端。且往年宗設之叛尚未正法，其令新巡撫官亟爲處分，及宋素卿曾決否，一併查奏！

在此所言新巡撫，係指浙江巡撫朱紈而言。紈之所以擔任斯職，乃因巡按御史楊九澤上書請設巡撫的結果㊳。

紈之處置海寇與下海通番之奸民的措施雖頗爲嚴厲㊴，但對日本貢使卻從宜處置，一面宣慰威

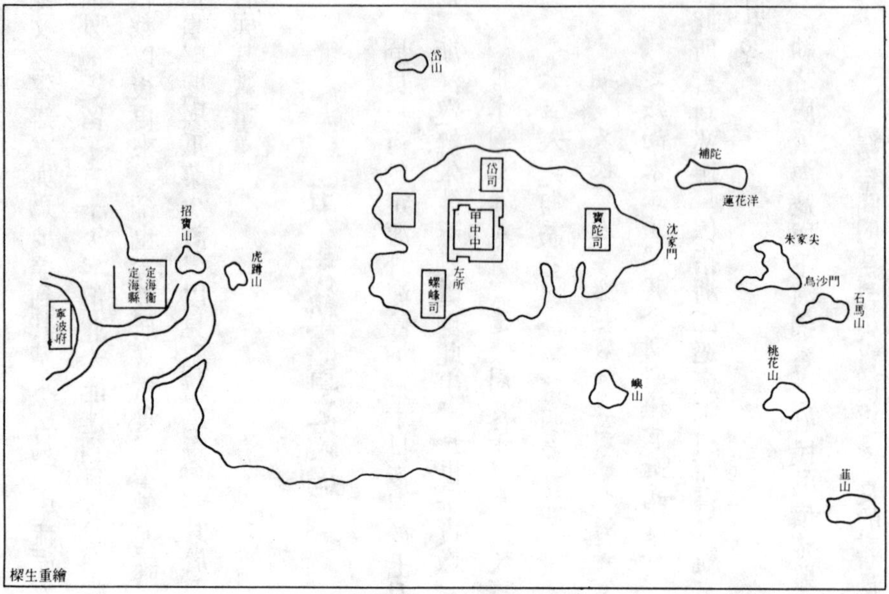

寰海圖　典據：嘉靖寧波府志

德，取具後不援例等詞，將他們收入寧波府嘉賓館安插㊃。所以當此事於同年十一月上達朝廷時，主客司林懋和曾上疏言該貢使先期而至，且人船過額，宜令守臣朱紈飭回。世宗下詔從其議，但紈卻謂：

> 嘉靖二年，夷使宗設等因自爭貢，互相讎殺，原非侵犯中國。以此嘉靖六年該禮部題奉欽依，仍令十年一貢，遂爲定例。至嘉靖十八年，該國差使臣碩鼎等前來，本部照例題准起送赴京進貢一次。嘉靖二十三年，夷使釋壽光，二十五年，夷使清涼等前後稱貢。彼時審無表文，又與貢期隔遠，照例阻回訖。今照使臣周良等，自以勘合、表文真正，貢期止隔數月，比與壽光、清涼等不同，屢屢求進。後雖強令回國，卻稱連遭逆風，秋候不便。節據書

呈，祈哀懇切。況大海茫洋，非有關津限隔可以直拒不容，而夷狄羈縻，自古亦無已甚之絶。

今年已係應貢之期，其於國家大信，似亦不違，若嚴拒絶之防，恐非善策。㊶

而對懋和之意見提出異議。

迄至閏九月五日，寧波府諭周良即將表文、勘合責令夷通事吳榮等賚捧赴定海關次，聽候本府按臨查驗眞僞以憑呈報。仍將所進方物幾何，所領人、船幾何，所帶兵器幾何，一一查覈，具數回報。其有踰額人、舡，作何安置？或有僞貢繼至，作何處分？宜以正對，愼無飾辭㊷。由此觀之，朱紈是從採取例外措施來安頓他，而浙江守臣也不再採取阻回之態度。非僅如此，又告諭他們朝廷已要彼等姑待來春赴京，各宜安心守候明旨，倘有缺貨，必須具書鳴官允濟，愼勿聽信奸人誘引，私相易貨，致蹈國法㊸。

如據《再渡集》同年十二月十九、二十、二十四日各條的記載，則周良一行在此時已開始準備移動而遣其通事吳榮報告，欲於明年正月三日解纜前往定海港，但並未獲寧波府與浙江市舶提舉司之同意㊹。因此，周良乃於正月三日復遣其通事周文苑呈〈帖〉，言將原擬初三日之開船延至十日以後順風前進。浙江市舶提舉司乃責其從初三延至初十之後，只是五十步與百步之間。你們先期而來，是非所以守信，不待報而行，又非所以循禮。你們淹淒海隈，雖可憐念，然以先奉明旨，雖巡按衙門亦不敢擅自主張。旬月之間當有所處決，不可輕自移舟，益增咎戾㊺。迄至初九、十三兩日，復有所戒諭而其內容與上舉者大致相同。周良之所以在正月以來亟欲移舟進入定海港，很可能認爲貢朝已至，應可獲明朝當局之同意。或許因其貢期已屆，守臣在此一時期所傳諭之內容已看不到先前那種堅阻語氣，而態度較前溫和。言彼等灣泊海隅，先見守信之義，所以我官軍自往歲仲夏至今，晝夜勞苦，皆爲朝廷法度所在。你們守候半年，亦推以理法所拘而已。現在都堂朱紈未臨，地方鈞命未下，如果你們遽爾進港，地方官司將何應答？恐你們也無辭以對。所以宜候撫臺按臨寧波處分停當，定議而行，方纔始終全美㊻。你們堅欲進港，謂照舊例，決非違法，此言似是而非。如果你們船止三隻，則如期而入，並非違法。緣因人、船過額，貢期雖及，而有踰額之船未見處置，怎能說不違法㊼？然周良對上述那些告諭置若罔聞，竟從碁山逕行移泊穿鼻港。因此〈定海縣諭〉謂：

> 明旨已下，本縣遵奉曉諭，行令恭候撫臺處分，原非飾詞相欺。乃不聽信，遽爾輕動，我等違旨之罪，誅戮有日，固不足言。但既陷我等於罪戾，則汝等此來，將得安然入貢乎？抑別有說乎？於事無益，於吾於汝等有損，此亦昭然易見者，何汝等之弗思，乃至此也？今雖移泊穿鼻港，猶可及止，切弗輕動，致令事體大壞，不可收拾。本縣懇切之言，盡於此矣！試諭。
>
> 嘉靖貳拾柒年正月廿三日給㊽

四日後，守臣又示諭周良，內容與上舉者大致相同㊾。我們如翻閱《再渡集》，便不難發現周良在此一時期與浙江守臣往來之文書頗多，而守臣之所以一再戒諭他們稍安勿躁，無非要他們等候撫臣朱紈蒞浙㊿。

迄至三月八日，進港之事終於有了消息。是日，定海總兵與寧波總兵張氏奉撫臺明文宣諭准令諭進，於本月初九日吉旦進定海關，十日進寧波港，但要嚴加約束夷伴，不許紛擾㉛。周良一行奉諭後，乃於九日午時起鐵錨，解纜前進，酉時抵寧波近港而泊。當時有明廷所遣軍船百餘艘夾其四艘貢船以護送㉜。十日辰時至寧波府，未時上岸拜謁撫臺——朱紈。以筆談方式由紈詢其進貢始末而周良對答之，至點燭時方纔將進貢事宜講定㉝。明晨，紈贈與食品一批。又明日，正使以下各幹部登岸謁海道主管官員而亦曾獲贈若干食品。十五日午時，一號船進貢品。十七日，知府提舉司二府、三府、四府至建於河岸之臨時房屋，對周文苑、盧錦、陳桀等通事示諭一號船幹部上岸，並使正使拜謁知府，然後於府前下官盤驗貨物，之後住進嘉賓館。二號船幹部則於十九日上岸，翌日盤驗貨物。至二十一日，二號以下各船的此項手續全部完成㉞。

六、貢使進京始末

如前文所說，周良對其先期而至之事已有所辯白，有關人、船過額之事則謂：

原來從伴、水夫共六百三十七人，自去年在外洋守候，至今染病死者二十一人，見存六百十六名。三隻船之外，副軍船一隻，要在防賊舟而完貢船而已。嘉靖二十一年以來，邊寇指商舶爲名，不時來國，或與竄島兇賊交通，或侵劫邊民，剽奪家財，不可勝數。國王遠慮，設副軍船一隻，若先歸國，必遭賊難。伏乞憐憫方便，講定後次決不援以爲例。㉟

由於當時佛郎機夷以浙江雙嶼爲據點，與通番海寇交易而朱紈曾調福建福清兵船，行委福建署都指

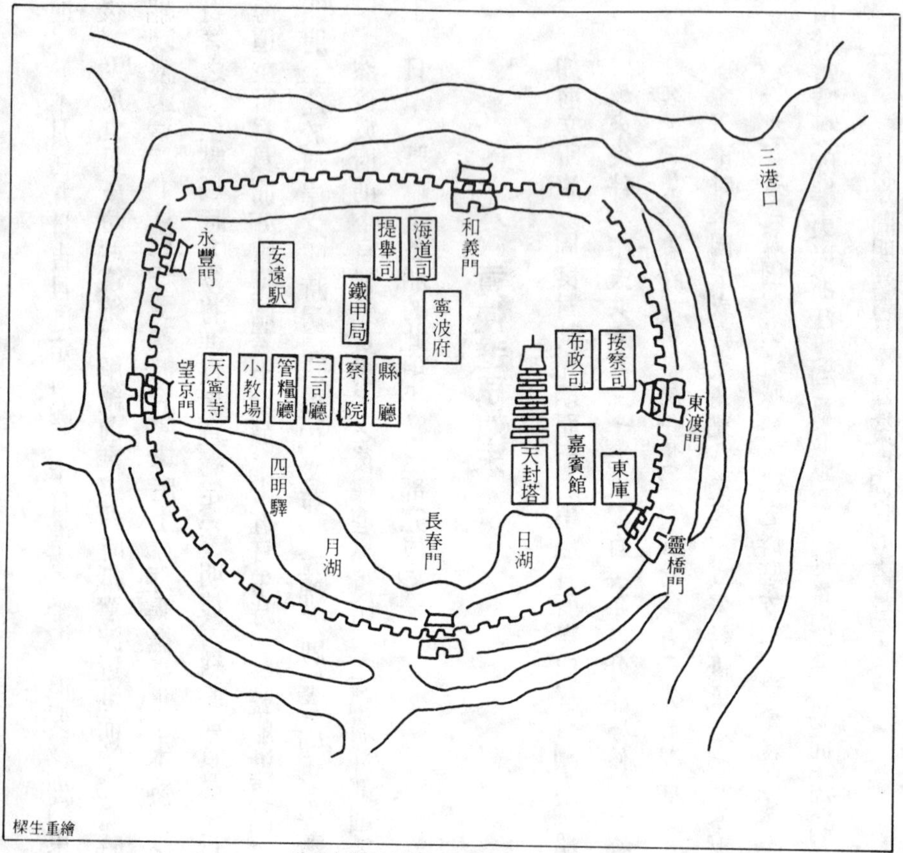

寧波郡治圖　典據：嘉靖府志

揮僉事盧鏜前來松門、海門等處，與浙江沿海官兵會合防剿雙嶼等處出没海賊，紈乃認爲此求貢夷船既以防賊爲慮，不可再令外泊，萬一疏虞，有負聖朝柔遠之意。況守候經年，物故居多，彼亦自知悔悟，因而與之，是即處分之道㊅。紈的此一意見，於六月上達朝廷。禮部乃言：

倭夷入貢，舊例以十年爲期，來者無得踰百人，舟無得【踰】三艘。及良等先期求貢，舟、人皆數倍于前，蟠結海濱，情實叵測。但其表詞恭順，且去貢期不遠，若概加拒絕，則航海重譯之勞可憫，若猥務含容，則宗設、宋素卿之事可鑒。宜令紈循十八年例，起送五十人赴京，餘者留嘉賓館，量加賞犒，省令回國。至于互市，防守事宜，俱聽斟酌處置，務期上遵國法，下得夷情，以永弭邊釁。(七七)

此一意見爲世宗所同意，而其詔書於七月下達浙江，二十三日通知周良(七八)。九月二十八日，海道官員於東庫(七九)再查貢物，並交與四艘貢舶之勘合。十月六日，自寧波乘船循運河前往北京。十日後抵杭州。正使以下各幹部各乘轎去拜謁朱紈，因紈身體不適，故只將進京五十人之名單呈上，然後往謁布政使。由布政使出牌查明其此次進貢之顚末。謁按察司時，該司即命關照北上船隻之事。一行之進京，前後共歷六個多月，於二十八年四月十八日方纔到達京城。在京師，正、副使及二號船土官慈眼等人被安置在玉河館東館住宿。周良於同月二十五日及二十八日，分別將其表文與勘合底簿上呈禮部。五月六日，將貢品與使臣自進之扇子呈繳該部(八〇)。六月十一日，世宗以白金、錦幣回賜日本國王與王妃(八一)。

七、明廷與貢使爭執之焦點

前文已說，自寧波事件發生以後，明廷對日本貢使的來貢限制較往日更爲嚴厲，且與約以後入貢，舟無過三艘，夷使無過百人，送五十人赴京師。但周良不及貢期以四艘六百人來，故禮部曾議非正額者皆罷遣之，但朱紈卻力陳其不便。禮部乃欲賞其百人如例，非正額者皆罷勿賞。周良因自陳：

貢舟高大，勢須五百人。中國商船入夷中，往往歲匿海島爲寇，故增一艘乃爲護貢舟而非敢故違明制。而朱紈對其人、船踰額之事，曾於三月二十七日上疏爲其辯護(六二)。當時的禮部尚書徐階，對此一問題也曾上疏謂：

今照日本進貢夷使人船，有違舊例，雖節經題奉欽依，行令將額外之人遣回，緣候便風，未得遽去，滯留賓館，前後踰年。今若一體給賞，則是本部十八年申明知會之咨，與近日照例阻回之奏，俱成虛文，而或過於恩。若遂一概裁革，則業已容留在館。且周良等所稱衆口嗷嗷，咎歸一己，跋涉勞苦，共沐聖恩等情，不致觖望，而或過於法。合無查照夷人文冊，先儘有職役人員，然後將船頭、從人等輳足五十人之數，並周良等到京。五十人照例給與全賞，其過多人、船，除副軍船從人、水夫不賞外，餘行彼處巡按御史轉行布政司，每人給賞絹、布各一匹，作速遣回。……再照夷使周良呈稱貢船高大廣厚，每船除使列從商之外，非得水夫百名決難駕使。是以雖有定制百名，吾王不奈之何難以減少。(六三)

而認爲日方人員之所以超額，乃有其實際需要而不得不如此做。且謂：

臣等查得《大明會典》只載本國十年一貢，至于人、船，原無定額，是以成化、弘治以來，每次進貢船必三隻，而人數多寡不等。至正德四年，因赴京倭僧在路生事，本部始題奉欽依，以後日本進貢使臣，准起送五十人到京(六四)。及嘉靖二年，因宗設、宋素卿爭貢讎殺，貽害地方，絕不與通。至嘉靖十八年，本國差使臣碩鼎等復來求貢，本部始議准夷使不過百名，貢船不過三隻。今據周良等告禁，似謂百人之例在彼國勢難遵行，若不量爲之處，竊恐無以應聖朝柔遠之意，亦使其下次仍得藉口踰數而來也。臣以爲除十年一貢，船三隻，起送五十人到京事例無容別議，其百人之數，合無行令浙江巡按御史備查舊制，並將本夷貢船逐一查驗，每船委須若干人駕駛，比今該量增若干人，斟酌停當開具奏聞，以憑本部覆議奏請咨行本國知會，俾永爲遵守。如此而在彼猶不遵，然後決行阻回，雖一人之少，亦不姑容，則我之待彼曲盡，而責彼有詞，縱至絶貢，彼亦當心服矣！㊄

結果，乃於百人之外各量加犒賞㊅。

夷使之賞賜問題既作如上述之決定，但尚有嘉靖十八年以來要求頒賜嘉靖新勘合的問題仍未獲解決，因爲明廷令以故勘合盡數納還始予新者。至此，良等持弘治勘合五十五道，請給新勘合。言其餘七十五道爲宋素卿子宋一所盜，捕之不得。正德勘合留五十道爲信，以待新者，而以四十道來還㊆。

禮部覆謂：

查日本國王源義晴，將弘治、正德年間底簿共二扇，勘合共五十五道，齋繳前來，請給新勘合，並據周良等再三懇請。但查弘治年間，不惟底簿脱落，而未繳勘合尚有七十七道。正德年間底簿僅全，而未繳勘合尚有五十四道。雖據本王各稱被盜遣失，及存留在彼，以防中流漂没，終於本部十八年原題候盡數繳還，然後給與之例有違。而本王收藏不謹，查驗欠明之責，委亦難逭。伏蒙聖慈曲貸，恩已至厚，所據新勘合難准頒給。但其稱舊勘合盡數繳還，萬一中流漂没，無以爲將來符信，亦是愼重貢典之意，宜爲量處。合無咨令本王於下次該貢之年，將見存正德年間勘合五十道，先繳四十道，量留十道在彼，候給新勘合到國之日，仍將十道繳還。其被宋一盜去弘治年間勘合，并正德年間尚欠四道，行令本國嚴行購訪，候得獲之日，一併奏繳。仍行浙江巡按衙門及三司備倭等官，如有齎執弘治年間勘合求貢者，即係詐僞，就行驅逐出港，不許頃刻停泊，致生事端。(六八)

徐階的此一意見獲得世宗之同意。

誠如小葉田淳所說，《世宗實錄》，卷三四九，嘉靖二十八年六月己亥朔甲寅條：「言其餘七十七道爲宋素卿子宋一所盜」，此七十七道當是七十五道之誤。因日本内閣文庫本《實錄》所書者爲七十五道，而《明史》〈日本傳〉與《國朝典彙》卷一六九的記載亦復如此。然徐階奏言七十七道，而此理應與事實相符。因此，《實錄》或目前通行之《世經堂集》、《皇明經世文編》所錄階之奏疏之一有誤方纔導致如此(六九)。徐階所謂正德年間勘合尚欠四道，乃是指弘治、正德勘合頒行以來未被用去之勘合數，與周良此次繳還之勘合喪失的七十七（五）道，及將尚存正德勘合五十道加減而成的結果。若然，則弘治勘合之見用數爲十道，正德勘合則爲六道，則弘治勘合喪失的七十七（五）道，及將尚存正德勘合五十道加減而成的結果。則弘治勘合七十七（五）道之究竟是否被盜，正德勘合五十道之到底是否尚留在日本，實不無令人生疑之處。階之舉出如此確切數字，然後加以說明，反而令人覺得他是以兩勘合之已被使用數目爲前提，並以現在所歸還之數目來加以計算者。此固爲周良之計算，卻係彼邦經營貢舶者使周良預爲之詞。所以究竟徐階所謂正德勘合之已用數爲六道正確，抑或周良所言十道爲正確，實難遽下論斷。惟據上舉《實錄》之記載，則階雖有奏疏，禮部卻只責令搜捕宋一所盜之弘治勘合，而未言及所缺之四道正德勘合，故其紀錄似以爲正德勘合之數目與周良所言者並無不合⑳。雖然如此，《實錄》可能將此事略而不說㉑。然就當時實際使用情形，亦即正德年間的貢舶僅來一次而所持者俱爲弘治勘合，而嘉靖二年大內氏船三艘所持者爲正德勘合三道，細川氏所遣貢舶一艘所持用者爲弘治勘合一道，而十八年大內氏船三艘所持用者俱爲正德勘合之實際情形推之，當是階之計算有誤㉒。但無論如何，周良之請嘉靖勘合而未爲明廷所允，乃是事實。因此，他們於北京完成朝貢與在會同館的貿易後，便於同年八月九日起程南返㉓，十二月三十日抵寧波㉔。明年五月以後揚帆東返㉕，六月九日回到山口㉖，完成其爲期四年之艱鉅的貢使任務。

八、結　語

以上係就明廷對寧波事件的善後，及對策彥周良前後兩次來華朝貢的處置經過作簡單的介紹。由此可知，明廷自寧波事件以後，對日本遵守貢期的要求特嚴，但對人、船的限制則採取權宜措施而並未深究其踰額之事。惟得在此一提的，就是自周良在嘉靖二十九年返日之後的第三年，因遣他來貢的大內義隆爲其部將陶晴賢所襲而自殺，致該氏家道中衰而不復經營貢舶來華。其他氏族，甚或大寺院、幕府等，也都無足夠財力籌辦貢舶。結果，自惠帝建文以來進行一百五十年的貢舶貿易遂告中止。雖然如此，明代的中日兩國貿易並未因官方的停止接觸而中斷，依然有許多民間船隻航行扶桑，將中國各種產品輸往彼邦，但此乃屬於走私性質，直到明末，此一活動都没有停止。

迄至神宗萬曆年間（一五七三～一六一七），其豐臣秀吉曾有意恢復此種貿易而不獲明朝同意，遂致引起萬曆朝鮮之役，致使中、日、朝三國之元氣大傷，也促使豐臣氏本身加速滅亡。之後，德川家康（一五四二～一六一六）也著眼於此種貿易之利，於十七世紀初欲與明恢復邦交，但也未能達到目的，不久以後明朝也就滅亡了。

【附註】

㈠ 中日兩國的部分學者，如：張維華（《明代海外貿易簡論》，三聯書店）、陳文石（《明洪武嘉靖間的海禁政策》，臺大文學院）、田中健夫（《中世對外關係史》，東京大學出版會）等三位前賢，均認爲明所以實施貢舶貿易的目的，在於維持政府獨佔的貿易形態。然就如《明實錄》的記載所示，明朝當局自宣德（一四二六～一四三五）以後，往往因諸國入貢所費不貲，而不時有人倡議縮減這方面的經費，所以這種貿易似難言爲政府獨佔的。

㈡ 明申時行等重修，《大明會典》（明萬曆十五年，司禮監刊本），卷一〇八，〈禮部〉，〈朝貢〉條。

㈢ 鄭若曾，《籌海圖編》（明嘉靖四十一年刊本），卷二，〈倭奴朝事略〉，嘉靖二年條；葉向高，《蒼霞草》（明萬曆三十四年，陳邦瞻等刊本），卷一九，〈日本考〉，同年條。

㈣ 明胡宗憲修、薛應旂撰，《浙江通志》（明嘉靖四十年刊本，清方濬師手書題記），卷六〇，〈經武志〉，第九之四，嘉靖二年條；鄭若曾，《籌海圖編》，卷二，〈倭奴朝貢事略〉，嘉靖二年條；鄭舜功，《日本一鑑》（商務印書館據舊鈔本影印本），〈窮河話海〉，卷七，〈使館〉條；侯繼高，《全浙兵制考》，卷一，〈寧紹區〉，〈本區倭亂紀〉，嘉靖二年條。請參看葉向高，《蒼霞草》，卷一九，〈日本考〉，嘉靖二年條。張翀，《張都諫奏議》（明崇禎刊本），卷一五，〈杜狡夷以安中土疏〉；夏言，《桂洲奏議》（明嘉靖間刊本），卷二，〈請勘處倭寇事情疏〉；嚴從簡，《殊域周咨錄》（明萬曆間刊本），卷二，〈日本〉；《明史》（臺灣商務印書館，百衲本），卷三二二，〈日本傳〉；鄭樑生，《明史日本傳正補》（民國七十年，臺北，文史哲出版社），四六一～四六八頁，及《明代中日關係研究》（民國七十四年，同上），三三四～三四八頁。

㈤ 《明史》，卷三二二，〈日本傳〉。

㈥ 《世宗實錄》（中央研究院，歷史語言研究所影印本），卷四九，嘉靖四年三月庚寅朔戊寅條。

㈦ 《世宗實錄》，卷五二，嘉靖四年六月乙丑朔己亥條。

㈧ 《歷代寶案》（臺灣大學，影印本），〈符文〉，卷三五；〈執照〉，卷二九。

㈨ 《續善鄰國寶記》（續群書類從本），嘉靖六年丁亥秋八月，〈遣大明表〉。

㈩ 《續善鄰國寶記》，嘉靖六年丁亥秋八月，〈遣大明表別幅〉。此乃致禮部咨，署「日本國王源義晴」。

㈡ 小葉田淳，《中世日支通交貿易史の研究》（昭和四十四年，東京，刀江書院，再版），一四七頁。

㈢ 策彥周良，《初渡集》（續群書類從本），嘉靖十八年庚子卯月十四日條。

㈢ 《世宗實錄》，卷二二七，嘉靖十八年閏七月丙申朔甲辰條。有關此一事件的記載，請參看夏言，《桂洲奏議》，卷二，〈請勘處倭寇事情疏〉；錢薇，《承啟堂集》（明崇禎刊本），卷一，〈與當道處倭議〉；鄭舜功，《日本一鑑》，〈窮河話海〉，卷七，〈使館〉條；小葉田淳，《中世日支通交貿易史の研究》，一二九～一五八頁；鄭樑生，《明史日本傳正補》，四一～四六八頁，及《明代中日關係研究》，三三四～三四八頁。

㈣ 「管領」，室町幕府之職稱，其職務爲輔佐幕府將軍綜理一切政務。其地位僅次於將軍，由足利氏之分支斯波、細川、畠山三氏輪流擔任，謂之三管領。

㈤ 請參看大庭脩，〈方洲文庫の嘉靖公牘集について〉（關西大學，《東西學術研究所紀要》，第一〇輯，一九七七年）。

㈥ 請參看鄭樑生，《明代中日關係研究》，七七～七八頁。

㈦ 《世宗實錄》，卷二二七，嘉靖十八年閏七月丙申朔甲辰條。

㈧ 《世宗實錄》，卷二三四，嘉靖十九年二月甲子朔丙戌條。

㈨ 嚴嵩，《南宮奏議》（明嘉靖間鈐山堂刊本），卷二，〈會議日本朝貢事宜疏〉。此疏並見於《皇明經世文編》（明崇禎刊本），卷二四九。

⑳《世宗實錄》，卷八〇，嘉靖六年九月乙亥朔丙戌條。

㉑嚴嵩，《南宮奏議》，卷二，〈會議日本朝貢事宜疏〉。《明史》，卷三二二，〈日本傳〉。

㉒策彥周良，《初渡集》，嘉靖十九年卯月十四日條。

㉓策彥周良，《初渡集》，嘉靖十九年卯月十六日條。

㉔同前。

㉕以上請看小葉田淳，《中世日支通交貿易史の研究》，一五一～一五六頁。

㉖《世宗實錄》，卷二八九，嘉靖二十三年八月丁卯朔戊辰條云：「日本國先於嘉靖十八年入貢，二十四（衍）年回國。至是夷使釋壽光等復來稱貢。禮部言：日本例十年一貢，今貢未及期，且無表文并正使，難以憑信，宜照例阻回。其方物收候作下次貢儀，移文本國知會。詔：如例阻回，方物仍令本夷帶還；各該所司省發起程。」《明史》，卷三二二，〈日本傳〉。《實錄》與〈日本傳〉均未紀清涼來貢之事，但見於朱紈，《朱中丞甓餘雜集》（明萬曆間刊本），卷二，嘉靖二十七年四月初六日所上〈哨報夷船事疏〉，及下文所舉之〈寧波府諭〉。

㉗《嘉靖公牘集》（日本滋賀縣伊香郡高月町兩森區，芳洲文庫典藏），第十號文書，嘉靖二十六年六月初五日〈寧波府諭〉。本《公牘集》之資料爲大庭脩教授所提供，在此謹致由衷之謝忱。《昆陽漫錄》。

㉘《嘉靖公牘集》，第十九號文書，嘉靖二十六年六月十日，〈定海縣知縣金氏諭文〉。

㉙同前。
㉚同前。
㉛《嘉靖公牘集》，第二十一號文書，嘉靖二十六年六月十二日，〈欽差巡視海道遣寧波府巡海通判曾朝賞，把總、定海等處備倭指揮潘鼎等官諭〉文。
㉜同前。
㉝同前。
㉞柳井藏人，《大明譜》（續群書類從本），嘉靖二十六年六月一日條。所謂「愁訴」，就是剖析事理之實際情況，以乞求上級機關或上級人員應允其請求之意。
㉟柳井藏人，《大明譜》。
㊱《嘉靖公牘集》，第一〇號文書，嘉靖二十六年六月十三日，〈寧波府諭〉文。
㊲《嘉靖公牘集》，第二十七號文書，〈寧波府諭〉云：「寧波府爲禁約事，照得倭夷慕義遠來，恭順不失。本府仰體朝廷柔遠至意，是用雅（？）心接納。所爲愼門禁者非他，防境內奸細包攬誆詐耳。除違禁貨物照例禁約外，其一應服食器用之類，但許兩半（平）交易。敢有妄持異見過爲阻抑者，定究不恕！須至帖者，仰通事陳傑等，即將後開物件給賞夷使周良等，收領！收領！回繳毋違。計開：米參拾陸石，酒參拾陸埕，蘿蔔壹千貳伯觔，芋艿參伯觔，柑橘貳伯觔，姜（薑）壹百觔，菜壹百觔。寧波府（花押）」此外尚有由寧波府具名，日期爲陸月十四日之「給馬壹貳碩，發還原銀壹封」，及同日由

寧波府給與的「菰子壹百箇，蘿蔔貳百斤，麵觔伍拾斤，楊梅伍拾斤，稍瓜壹百根，葱、蒜各貳拾斤」等食物。

(三八)《世宗實錄》，卷三二四，嘉靖二十六年六月庚辰朔癸酉條云：「巡按御史楊几（九）澤言：浙江寧、紹、台、温，皆枕山瀕海，連延福建福、興、泉、漳諸郡，時有倭患。沿海雖設衛所城池，控制要害，及巡海副使、備倭都司督兵捍禦。但海寇出没無常，兩省官僚不相統攝，制禦之法終難畫一。往歲從言官請，特命重臣巡視，數年安堵。近因廢格（革），寇復滋蔓。抑且浙之處州與福之建寧，連歲礦寇流毒，每徵兵追捕，二府護（互）委（諉）事，與海寇略同。臣謂巡視重臣丞（亟）宜復設。然須轄福建、浙江，兼制廣東潮州，專駐漳州。南可防禦廣東，北可控制浙江，庶（幾）威令易行，事權歸一。事下兵部，集諸司覆如其言。第廣東潮、惠二府，仍隸兩廣提督，有事則協心議處。上曰：浙江天下首省，又當倭夷入貢之路，如不議復設巡撫，兼轄福建福、興、建寧、漳、泉等處提督軍務，著爲例。」《明史》，卷二〇五，〈朱紈傳〉；卷三二二，〈日本傳〉。

(三九)請參看朱紈，《朱中丞甓餘雜集》，卷二、三、四、五所錄各章疏，及卷八、九、一〇、一一所錄之〈公移〉。

(四〇)朱紈，《朱中丞甓餘雜集》，卷二，嘉靖二十七年四月初六日，〈哨報夷船事疏〉。此疏並見於《皇明經世文編》（明崇禎刊本），卷二〇五，《朱中丞甓餘集》，卷一。

(四一)同前。

(四二)《嘉靖公牘集》，第二號文書，嘉靖二十六年閏九月初九日，〈寧波府諭〉。

(四三)《嘉靖公牘集》，第二十五號文書，嘉靖二十六年十二月日諭文。發文者不詳，只知係奉都察院之明文而諭者。

(四四)《嘉靖公牘集》，第七號文書，嘉靖二十六年十二月二十八日，〈寧波府諭〉文，及第八號文書，同年月日之〈浙江市舶提舉司諭〉。

(四五)《嘉靖公牘集》，第九號文書，嘉靖二十七年正月初八日，〈浙江市舶提舉司諭〉。

(四六)《嘉靖公牘集》，第六號文書，嘉靖二十七年正月十五日諭文。發文者不詳，惟因在日期後寫一「總」字，並有花押，就其文面推之，當係由定海附近之總兵發出的。

(四七)《嘉靖公牘集》，第十六號文書，嘉靖二十七年正月二十二日諭文。發文者不詳。

(四八)《嘉靖公牘集》，第十七號文書，嘉靖二十七年正月二十三日，〈定海縣諭〉。

(四九)《嘉靖公牘集》，第十二號文書，嘉靖二十七年正月二十七日〈諭〉文。發文者不詳。

(五〇)註四八之第十二號文書，及第四號文書，嘉靖二十七年二月初九日，寧波府出海通判唐時雍，把總指揮潘鼎之諭文；第一號文書，同年月日之〈寧波府諭〉，俱要周良等候撫臺朱紈莅浙處置，不可輕舉妄動。

(五一)《嘉靖公牘集》，第二十六號文書，嘉靖二十七年三月八日，〈把總司諭〉。

(五二)策彥周良，《再渡集》（續群書類從本），嘉靖二十七年三月九日條。

(53) 朱紈，《朱中丞甓餘雜集》，〈自序〉云：「三月入寧波，致諸夷至，面定約束。」

(54) 策彥周良，《再渡集》，嘉靖二十七年三月十一、十三、十五、十七日各條。

(55) 朱紈，《朱中丞甓餘雜集》，卷二，〈哨報夷船事疏〉。周良所謂三隻船外副軍船一隻，要在防賊舟而完貢船。此固爲其藉口，但當時倭寇猖獗，卻是事實。如據《大明譜》〈奥付〉所紀，則貢使一行在嶴山等候貢期時，周良曾「下令留意賊船來襲，而日夜在高處設哨崗，不時巡邏四周」的。

(56) 朱紈，《朱中丞甓餘雜集》，卷二，〈哨報夷船事疏〉。

(57) 《世宗實錄》，卷三三七，嘉靖二十七年六月甲辰朔戊申條。

(58) 策彥周良，《再渡集》，嘉靖二十七年七月二十三日條云：「巳刻，二府老爹屈臨于本堂，告示北京文書到來事，滿館喜氣如春。予暨副使、居座、土官以下迎接。有恒例，無四拜。」

(59) 東庫及浙江市舶提舉司爲暫時收貯日本國貢品，而設於寧波嘉賓館旁之倉庫。請參看附圖。

(60) 策彥周良，《再渡集》，嘉靖二十七年十月六日、十六日，二十八年四月十八日、二十五日、二十八日，五月六日各條。

(61) 《世宗實錄》，卷三四九，嘉靖二十八年六月己亥朔甲寅條。

(62) 朱紈，《朱中丞甓餘雜集》，卷二，嘉靖二十六年四月初六日，〈哨報夷船事疏〉。

(63) 徐階所謂：「至正德四年……准起送五十人到京。」云云，此疑爲弘治九年之誤。鄭若曾，《籌海圖編》，卷二，〈倭奴朝貢事略〉，弘治八年條云：「五月，差使（堯夫）壽蓂入貢。方物赴京，沿途生事。至濟寧，強買貨物。彼此殺傷，罪及解官府。照磨童釗，指揮魏政，提舉王釗，俱降調，通事林春充軍。次年使歸，司府失於檢點，致鄞人朱縞欠貨物而去。」《孝宗實錄》，卷一一六，弘治九年八月乙亥朔庚辰條則云：「禮部奏：日本國遣使入貢，至濟寧州，夷衆有持刃殺人者。其正副使壽蓂等不能約束。乞賜裁抑。上命：今後日本國進貢使臣，止許起送五十人來京，餘存留浙江，館穀者嚴爲防禁。」

(六四) 徐階，《徐文貞公集》（明崇禎刊本。《皇明經世文編》，卷二四四），卷一，〈覆處日本國貢例疏〉。

(六五) 同前。

(六六) 《世宗實錄》，卷三四九，嘉靖二十八年六月己亥朔甲寅條。

(六七) 同前。

(六八) 徐階，〈覆處日本國貢例〉（《皇明經世文編》，卷二四四）。

(六九) 小葉田淳，《中世日支通交貿易の研究》，一三九頁。

(七〇) 小葉田淳，前舉書一九三～一九四頁。

(七一) 請參看小葉田淳，前舉書一九五～一九七頁之〈補論〉。

(七二) 同註六八。

(七三) 策彥周良，《再渡集》，嘉靖二十八年八月九日條。

(五四) 柳井藏人，《大明譜》。

(五五) 京都天龍寺妙智院所藏，都御史葉寅，〈贈謙齋（周良之號）老師歸日域圖序〉所署日期爲「庚戌（二十九年）五月吉日」，故知其東返日期在五月以後。京都妙智院所藏，〈西山妙智三世策彥和尚略傳〉。

(五六) 京都妙智院所藏《西山妙智三世第彥周良和尚略傳》。

明萬曆年間朝鮮哨報倭情始末

一、前言

如衆所周知，日本豐臣秀吉曾於明神宗萬曆二十年（日本文祿元年，朝鮮宣祖二十五年，一五九二）四月十三日，以近十六萬人之大軍，分成八路入侵朝鮮半島，依次登陸釜山浦及其附近，且以破竹之勢蹂躪朝鮮南部各地，逼近王京。使宣祖不得不於是月二十九日撤離京城。兩天後，首都竟陷於賊，亦即自侵略部隊登陸後僅十九日，王京居然如此輕易的落入敵人之手。其因固與當「時昇平二百年，民不識兵，望風瓦解，無敢攖其鋒」㊀有關，但在日本入侵之前，朝鮮當局之未能如客居琉球之華人陳申（或作甲）、鄭迴，及寓居日本九州薩摩（鹿兒島縣）的華人許儀俊（或作儀後）、朱均旺等人之坦率將自己所見所聞有關秀吉企圖侵略朝鮮與中國之消息，及時哨報於明朝當局，而一味隱瞞事情之眞相，且刻意沖淡事態的嚴重性，使明廷未能及時採取適當的防禦措施，亦有以致之。而朝鮮本身之未能覺察大難已經臨頭而設法防範，也是使敵軍入侵後不久，便已災黎遍野的主要因素。筆者雖已在《明代中日關係研究》一書中提及此一問題，但因朝鮮哨報秀吉入寇之消息的過程頗爲曲折，故本文擬就其哨報經過作深入探討，俾便瞭解事情的經緯，和明廷所採取的因應措施。

二、豐臣秀吉之入寇準備

有關豐臣秀吉的生平，及他在發動侵略前夕的對外遣使與對外侵略之目的等問題，筆者亦已在前舉《明代中日關係研究》，第五章第一～三節中考察過，所以在此不擬贅述。至於其準備入寇問題，《明史》，卷三二二，〈日本傳〉云：

召問故時汪（王）直舊黨，知唐人畏倭如虎，氣益驕，益大治兵甲，繕舟艦。與其下人謀，入北京者，用朝鮮人爲導；入浙、閩沿海郡縣者，用唐人爲導。

所謂王直，安徽歙人。初爲鹽商，性任俠氣。青年時代爲落魄遊民。世宗嘉靖十九年（一五四〇）頃，東南沿海所在通番，直爲所惑，遂與奸民結合下海㈡。時海禁尚弛，直與海寇葉宗滿前往廣東，造巨艦，將帶硝黃、絲綿等違禁物抵日本、暹邏、西洋諸國，往來互市者五六年，致富者不貲㈢。二十三年，入海寇許棟踪，爲司納，爲棟領哨馬船至日本交易。二十七年，棟爲都御史朱紈所破，直收其餘黨，自作船主㈣。三十一年，併海寇陳思盼一夥，擴充其勢力㈤。於是他君臨倭寇世界，並與地方官勾結，蹂躪海上。三十五年，爲浙江總督胡宗憲所誘捕。三十八年十一月二十五日，經兵部與三法司會議，將其斬首於杭州官巷口㈥。王直既已被誅，秀吉乃以召問其餘黨方式來探聽當時之中原情勢。該〈日本傳〉在上舉文字之後又云：

> 初，秀吉廣徵諸鎮兵，儲三歲糧，欲自將以犯中國。

中國史乘的記載如此，其實情如何？

前此，秀吉曾繼承織田信長（一五三四～一五八二）之志業，繼續從事統一日本全國之工作，且隨其此一事業之推展，乃將其眼光朝向海外，謀求併呑亞洲各地之策。於萬曆十三年（天正十三年，一五八五），在大阪城將其侵略中國之野心告訴西方傳教士卡斯巴爾・凱羅，其言欲得軍艦。明年，於其征討九州時，公開發表對外侵略之意圖。六月，以茶道家千利休（一五二二～一五九一）爲使，前往對馬島要求宗義調於其發動侵略朝鮮時從軍。他當時的構想，係擬從朝鮮、琉球兩方面出擊，而由侵略朝鮮開始著手㊆。

萬曆十五年五月三日，秀吉爲討伐九州之島津氏而抵薩摩（鹿兒島縣）川內的泰平寺。翌日，他從宗義調的使者柳川權之介調信，及柚谷康廣手中接義調於上月十三日所寫的書信。秀吉對此曾予覆函，其內容乃希望宗氏在其發動侵略之際，完成擔任尖兵的任務㊇。然宗氏一向以貿易等事與朝鮮的關係密切，所以他接受如此內容的書札以後，立場非常困難而難於答覆。於是義調乃請秀吉之心腹小西行長（？～一六〇〇）從中斡旋。可是行長告訴他的，卻是傳達秀吉的旨意，言如果對秀吉的答覆有所拖延，則將會派軍船指向對馬㊈。從此以後，行長常在秀吉與宗氏之間擔任聯絡工作。

島津氏降伏後，秀吉雖於六月十六日在箱崎（福岡縣）允許宗氏照舊擁有統治對馬之權，然對朝鮮問題卻於同日下如下大意之嚴命云：

此次征討九州，乃由於島津氏不服天皇命，故進兵懲罰，使之服從。征討時，所有島嶼俱應出兵，而你們父子亦應立刻渡海來會。對馬一國仍由宗氏掌管。今後宜盡忠職守。至朝鮮問題，雖欲你們遣兵加以懲處，但義調卻提出理由而遷延時日。若然，則使其國王赴日。對方如予拖延，則派兵渡海誅罰。屆時將予彼國之地。希早日答覆，勿誤。

六月十五日　（秀吉花押）

宗讚岐守（義調）先生

宗對馬守（義智）先生㊀

亦即秀吉欲以對付日本國內之大名（諸侯）的態度，來派兵征討朝鮮。然因宗義調舉出「彼邦自始對某嫌隙，不可孟浪發兵攻伐」㊁，以和平解決爲上策，秀吉乃將其征討計畫延期，令義調從事交涉，使朝鮮國王親至秀吉處㊂。

三、宗氏之折衝

宗氏在當時與朝鮮有貿易上的來往，而又詳於朝鮮之國情，故謀阻秀吉出兵，請以人質及貢調來代替朝鮮王之赴日，但不爲秀吉所納。不得已，遂私自以日本國王名義遣使朝鮮，告以秀吉已經統一日本全國，要求其派通信使赴日，然對方並未首肯。柳成龍的《懲毖錄》以爲宗氏之遣使在萬曆十四年（天正十四年，宣祖十九年，一五八六），安邦俊的《隱峰野史別錄》及《國朝寶鑑》則以爲十五年，松浦霞沼的《朝鮮通交大紀》則以爲是十六年。但無論其年份如何，宗氏使者之於此三年中曾經往來於朝鮮、對馬之間，殆無疑慮。

如據上述諸書的記載，則當時宗氏所遣使者爲柚谷康廣。《懲毖錄》，卷一紀謂：

康廣時年五十餘，容貌魁偉，鬚髮半白。所經館驛，必舍上室。擧止倨傲，與平時倭使絶異，人頗怪之。

前此日本前往朝鮮之使者多由其西陲諸侯所遣，且多爲通商貿易而有求於朝鮮，故彼輩之擧止自有分寸，而此次使者態度之所以劇變，當與以剛統一日本全國之秀吉爲其後盾有關，亦即狐假虎威而趾高氣揚。《懲毖錄》，卷一又謂：

故事：一路郡邑，凡遇倭使，發境内民夫執槍夾道以示軍威。康廣過仁同，睥睨執槍者，笑曰：汝輩槍桿太短矣！

日本自秀吉之主子織田信長以後，多利用洋鎗以爭戰場勝利而有所向披靡之概。我們固不知日本當時的洋鎗尺度，亦難悉朝鮮的短鎗之尺寸，或者他因見朝鮮人所持槍桿確比日本人所有者短才作如是言，但康廣之有挾秀吉威勢而輕視朝鮮之態度，實至爲明顯。

當康廣行至尚州時，牧使宋應洞曾以伎樂成列宴享，因見應洞衰白，竟譏諷謂：

老夫數年在干戈，鬚髮盡白。使君處聲伎之間，百無所憂，而猶爲皓白，何哉？㊂

身爲使節而居然發此狂語，可謂囂張已極，但當時朝鮮之積弱不振，紀綱已敗，使秀吉有可乘之藉口亦有以致之。也就是說，必自侮而後人侮之也。此事可由下列事實見其端倪。柳成龍曰：

> 及至禮曹判書押宴，酒酣，康廣散胡椒於筵上，伎工爭取之，無復倫次㈣。

當著外國使節面前而竟有如此醜態，眞是成何體統？難怪當其司憲府得悉此一情形後即向宣祖上啟曰：

> 日本國使臣於禮曹下馬宴時，伎工給面皮、丹木、胡椒等物，爭相攘奪，以取笑侮。請禮曹堂上推考色郎廳罷職。

結果，宣祖聽如其言。當時，康廣也從其使朝鮮時所接觸、目睹的種種事情當中發覺朝鮮之紀綱已敗壞到無可藥救的地步曰：

> 汝國亡矣！紀綱已毀，不亡何待？㈤

未經戰爭而敗亡之徵已爲日本一介地方官吏所看出，則朝鮮之病，可謂已入膏肓矣！

由於康廣持往朝鮮求派通信使的尺牘之措詞甚倨，復有「天下歸朕一握」之語，因此朝鮮當局對於康廣之還，但答其書契而稱水路迷昧，不許送使赴日。而宣祖亦以爲日本乃簒弒之國，不可接待其來使，當以開諭入送，命二品以上官員議其可否。結果，皆以化外之國，不可責以禮義。使臣之來當依例接待。宣祖如其言㈥。因此，康廣未能完成使命，致歸國後使秀吉大怒，遂爲其所族誅云㈦。

前文已說：宗氏一向與朝鮮有貿易上之往來，他們之間的關係密切。所以當柚谷康廣所提派遣通信使赴日的要求見拒後，義調、義智父子乃又與小西行長謀對策。於是義智擬親自渡海前往朝鮮，請朝鮮當局同意遣使慶賀日本之統一。

萬曆十七年（天正十七年，宣祖二十二年，一五八九）春，宗氏以當時寓居對馬的博多僧侶景轍玄蘇爲正使，義智本人則以副使身分，率其家臣柳川調信前往朝鮮㈥。而宗氏之所以以釋玄蘇爲正使，當係援前此對馬與朝鮮交通時，其重要場合均以僧侶爲信使之慣例有關。義智一行抵朝鮮以後，朝鮮政府乃以吏曹正郎李德馨爲宣慰使，儐接他們入京而館於東平館。《國朝寶鑑》，卷二九，宣祖二十一年夏四月條云：

義智年少鷙悍，他倭畏服，俯伏膝行，不敢仰視。久留東平館，必邀信使與俱。朝議依違。先是，損竹島之役，捕得倭口，言我（朝鮮）國邊氓沙火同者叛入倭中，道倭爲寇，朝廷憤之。至是，議者言：宜令日本刷還叛民，然後議許通信，以觀成否。

都承旨趙仁後亦云：

日本急于專致我使，未必不縛送刷還。萬一縛送刷還，則其有光於我（朝鮮）國如何哉！而我即遣使謝之，是謝其厚意，而答其誠款也。非無端遣使稽顙琛於逆賊之庭也。遣使一也，而其所以遣使之義，則不可同日而語矣，豈不韙哉？渠若不從我言，則是曲在彼，而我得以爲辭矣！㈨

因仁後之言頗有道理，宣祖從之，乃使館客諷義智。義智云：「此卻不難」。即遣柳川調信歸報其國，使悉捕朝鮮人之在國中者以來㊀。

同年七月，日本刷還朝鮮被擄人金大璣、孔太元等一百十六人，又縛送叛民沙火同及丁亥（萬曆十五年）賊倭緊時要羅（金十郎）、三甫羅（三郎）、望古時羅（木工次郎）三口。並謂入寇之事，非我所知，乃貴國叛民沙火同誘五島（長崎縣）倭搶掠邊陲。今故捕致，聽貴國處置，而懇求朝鮮使者至其國修好。當時，宣祖曾御其仁政殿，大陳兵威受其獻。詰問沙火同，斬於城外。義智等賞內廐馬一匹。復御殿引倭使賜宴。義智等皆上殿進酌而罷㊁。

當時日方使節留在東平館，而派遣通信使之議未決。因此禮曹判書柳成龍乃請速定議，勿致生釁。翌日，宣祖乃御朝筵，其大臣及大將，邊協皆以爲宜遣使報答，且詗彼中動靜，並非失計而始許通信㊂。如據安邦俊《隱峰野史別錄》的記載，則當日方刷還上述金大璣、孔太元等人時，朝鮮政府曾動色相賀，以爲彼邦南邊自此無憂。則當時的朝鮮人士，上自宣祖，下至百官，都毫不瞭解其對岸的日本之國情，竟不知大難已經臨頭，而天眞得竟以爲自此可以高枕無憂而相互慶賀的。

四、朝鮮通信使之赴日

朝鮮當局既已決議遣使前往日本通信，就得遴選使節人員。當時他們以爲日本鄰朝鮮，其王初立，與之新結歡好。兩國交際之間，處事接待之際，所關非輕。宣慰使必須有才智、臨機善變，性情又寬弘有度量者，然後能得遠人之心。何況玄蘇是日本人頗通文字而喜作詩者，所以使節又必能文，然後可以應之，傳播其國而不愧。因此，乃於萬曆十八年（天正十八年，宣祖二十三年，一五九〇）正月，命吏曹郎廳議于大臣宣慰使望、沈喜詩、趙瑗、吳億齡等人㉓。同年三月壬寅朔丁未，以僉知黃允吉爲通信使，司成金誠一爲副，典籍許筬爲從事官使日本，與日本使者宗義智同時發京㉔。四月二十九日，自釜山浦乘船抵對馬島。留一月。又自島水行四十里，到壹岐島，歷那古耶（名護屋，佐賀縣）、博多州（福岡縣）、長門州（山口縣），至七月二十二日始至京都，館於大德寺㉕。

黃允吉一行抵京都時，豐臣秀吉正在小田原征討後北條氏未歸，至九月初方纔凱旋，但並未立刻召見他們。我們雖無從得知何以未在其返回京都之際即召見他們的緣由，卻可推測可能是因秀吉原本希望國王赴日，而由於宗氏、小西行長之輩的斡旋，竟使其臣下前往彼邦所致。但或許秀吉又認爲有使節前來總比無使節好吧！終於決定在十一月七日接見通信使。其接使節時，允許允吉一行乖轎入其位於京都之聚樂第。以笳角前導而陞堂行禮，並饗以酒饌而奏古樂以娛之。惟其禮極簡，數巡而罷，無拜揖酬酢之節云㉖。

黃允吉所攜宣祖致秀吉之國書如下：

> 朝鮮國王李昖，奉書日本國王殿下：春候和煦，動靜佳勝。遠傳大王一統六十餘州，雖欲速講信修睦，以敦鄰好，恐道路湮海（晦），有淹滯之憂歟。是以多年思而止矣！今令以貴介黃允吉、金誠一、許筬之三使以致賀辭。自今以後，鄰好出于他上，甚幸！仍不腆土宜，錄在別幅，庶幾笑留。餘順序珍嗇，不宣。

萬曆十八年三月　日　　朝鮮國王李　昖㉗

其贈日本之禮幣則爲：

良馬貳匹，大鷹子拾伍聯，鞍子貳面諸緣具，黑麻布叁拾匹，白綿細布伍拾匹，白苧布伍拾匹，青斜皮拾張，人參壹佰斤，狗皮心兒虎皮邊猏及裡阿多介壹座，狗皮貳拾伍張，豹皮貳拾伍張，彩花席拾張，紅綿紬拾張，清密拾壹壺，白米貳佰碩，梅松子陸碩。㉘

朝鮮當局雖將上舉各種物品當作慶賀秀吉統一日本全國之禮幣，但是日本方面卻認爲它們是朝貢日本所獻的方物，故秀吉給李昖的復書中方纔出現「方物」等字眼而引起黃允吉一行之不滿，要求日方更改。此事容於後文考察。

那麼，秀吉到底是個怎樣的人物呢？《明史》，卷三二二，〈日本傳〉雖有所介紹，但其文字多失實，不足採信㉙。而當時謁見秀吉的通信副使金誠一認爲他的「容貌矮陋，面色黎黑，無異表，但微覺目光閃閃射人。」㉚其目光雖然閃閃射人，但並未能覺察黃允吉一行此次赴日的目的並非朝貢，只是祝賀其統一日本全國，以表示交鄰通信相好而已。而他居然誤以爲朝鮮王之遣使前來，係表示已服屬於他，竟對允吉等人說出他想侵略中國的抱負，並命朝鮮於其發動侵略戰爭時爲其嚮導。其實，當時除宗氏、小西行長及通曉朝鮮國情者外，秀吉身邊的人員可能都持與秀吉相同的看法。因爲在壬辰之役當時，秀吉的心腹大將加藤清正與朝鮮義兵將軍松雲大師有如下一段對話云：

清正問云：……粤八年之前庚寅之歲（萬歲十八年），朝鮮國王送使者於日本，奏太閤殿下（

秀吉）曰：朝鮮歸服於日本矣！繇是太閤殿下大喜曰：朝鮮歸服矣，更可征伐大明國也。……先問：八年之前，庚寅之歲，自朝鮮送使者於日本，是非歸服而何乎？答云：庚寅歲送使于日本者，只是交鄰通信相好而已矣，非歸服也。清正問：其時或人奏太閤殿下云：朝鮮歸服于日本矣，此事僞乎？松雲答云：此時對馬守（宗義智）與行長所奏僞也，欺罔日本及朝鮮，非實語也。㊂

所以秀吉雖有閃閃目光，竟不能洞徹事情之眞僞，終爲其部下所欺瞞而不自覺。

前文已說，黃允吉雖於七月下旬抵京都，卻候至十一月上旬秀吉始予接見。不過他們於謁見秀吉後四日就離開大阪了。其時間之短促，實出人意表。而副使黃誠一《海槎錄》所紀：

越海三月而入都，五月而傳命。傳命四日而出都，出都半月而受書矣！

最能傳出當時之實情。文中所謂之「受書」，係指秀吉給朝鮮王李昖的復書，其末紀「天正十八年庚寅仲冬日秀吉奉復書」。允吉一行得此書後非常困惑，乃向日本使僧景轍玄蘇等人提出抗議，要求其修改，玄蘇不聽。《國朝寶鑑》，卷三〇，宣祖二十四年三月條紀當時誠一交涉之情形云：

誠一見書辭悖慢，嘗稱殿下而稱閤下，以所送禮爲方物領納。且一超直入大明國，貴國先驅等語，是欲取大明而使我國爲先驅也。乃貽書玄蘇，譬曉以大義云：若不改此書，吾有死而已，不可持去。玄蘇有書稱謝，諉以撰書者失辭，但改書殿下、禮幣等字，其他悖慢之辭，託言此是入朝大明之意而不肯改。誠一再三移書請改，不從。黃允吉、許筬等以爲蘇倭自釋其意如此，不必相持久留。誠一爭不能得，遂還。

安邦俊，《隱峰野史別錄》亦云：

此書初爲閤下、方物、入朝等語，允吉等貽書玄蘇，請改六字。則蘇馳啟，改閤下、方物四字，入朝二字則不許。曰：此朝字非特貴國也，乃指大明也。允吉、筬以其言爲信。惟誠一不以爲然，與玄蘇往復論難，蘇猶不聽。

即使我們不看秀吉復書之全文，亦可由上舉兩段文字得知其復書之措辭蔑視朝鮮而將其擬如屬國，且有意侵略中朝而其野心實至爲明顯。但玄蘇對允吉等人所提修改的要求不僅未予理會，反顧左右而言他。可見秀吉打從開始就擺著高姿勢而根本未將朝鮮放在眼裏。至其所謂入朝之朝字非特指朝鮮而指中朝，也是牽強附會之言而難令入信服。

五、通信使之復命

黄允吉等無可奈何，乃偕日本使節宗義智、景轍玄蘇、柳川調信自堺（大阪府）揚帆歸國，於萬曆十九年正月抵對馬。三月，回到王京㊂。不過他們抵釜山後並未聯袂而分兩路進京，亦即玄蘇、義智由鳥嶺，調信自竹嶺前往京城㊂。至於他們何以分成兩路，其理由卻不可得而知之。允吉等回到京城後，便將他們使日的顛末報告宣祖。《國朝寶鑑》，卷三〇云：

（宣祖）二十四年（萬曆十九年）春三月，通信使黄允吉等回自日本，倭使平（柳川）調信等偕來。允吉馳啟情形，以爲必有兵禍。既復命，上引見而問之。允吉對如前。誠一曰：其目如鼠，不足畏也。

同爲使節，聯袂往返日本而兩人復命之內容竟發生齟齬，這種情形可謂空前絶後。就當時處處爲誠一作坦護文字的柳成龍，他也對此事作如下紀錄云：

允吉還泊釜山，馳啟情形，以爲必有兵禍。既復命，上引見而問之。允吉對如從前。誠一曰：臣不見其有是。因言允吉動搖人心，非宜。於是議者或主允吉，或主誠一。余問誠一曰：君言與黃使不同，萬一有兵，將奈何？曰：吾亦豈能必倭終不動，但黃言太重，中外驚惑，故解之耳。[34]

只因爲其同伴所報告之內容太過言重而予以否定，此舉不惟有辱使命，陷國家於危如纍卵的地步，也荒唐到了極點。其實導金誠一於如此荒唐擧止的原因，除上述者外，他在滯留日本期間，與黃允吉、許筬等論〈國分寺被辱〉、〈答客論難〉、〈觀光論〉、〈拜庭下堂上〉、〈副官請樂〉、〈入都出都〉、〈倭入禮單〉等七書往復論難等事受辱亦有以致之[35]。但其最大緣由該是日人德富豬一郎（蘇峰）所云：

其故在於朝鮮黨爭的結果。金誠一與柳成龍同派，屬東人；黃允吉屬西人。所以兩人自始即相互牽制對方，處於彼此反目的位子。朝鮮政府之所以以此二人爲正、副使，雖或爲其勢力之均衡，但在處理國家重大問題時，其紛爭也仍不止息，致將國家導於危如纍卵的地步。[36]

所以安邦俊方纔憤言：「滿朝文武，徒如偏黨」㊲的。

誠一的言論雖如此荒謬，但朝鮮廟堂卻以他能力爭閣下、方物、入朝六字，而且其答日本宣慰使小西行長、對馬島主宗義智兩書，極言中朝之不可犯，辭語痛切而認爲他是善使。然如據安邦俊，《隱峰野史別錄》的記載，則其答宣慰、對馬兩書，非眞答而係擬作。當時的朝鮮除安邦俊洞悉金誠一之爲好名，而使瀕臨不測的朝鮮陷於更深一層之禍機的作爲深感憤慨外，允吉所帶軍官黃進也洞察誠一言論之僞。安邦俊云：

> 允吉、筬及一行上下大小人皆以爲賊必大舉。獨誠一謂賊萬無來理。平酋（秀吉）亦是庸常底人物。廟堂以誠一爲善使，陞堂上，悉罷防備諸事。允吉所帶軍官黃進，不勝憤怒，於衆中揚臂大言曰：以黃（允吉）、許（筬）之愚劣，賊情尚能知之，況以誠一之慧黠，豈有不知之理？此不過書契中多有犯上國不道之語，而無一言受來，故誠一恐其得罪，巧爲如是之言，寧陷於不知之地，其心罔測矣！欲上疏請斬，而爲人所抑。㊳

由此觀之，朝鮮滿朝諸臣徒知偏黨，不許宣慰、對馬兩書爲擬作，大言誇張，反爲善使，眞是文人諸名士反不如一武夫黃進，其避難就易，苟且偷安的心態確實令人浩歎。而更令人不可思議的是朝鮮廟堂竟因而悉罷防備諸事，將國家安危完全棄置不顧了。

六、朝鮮政府的態度

金誠一雖復命謂日本無來寇之動靜，但朝鮮政府仍有些擔心，乃採備邊司議，於閏三月日本使節景轍玄蘇、柳川調信等至京師時，仍以允吉、誠一等，就私人以酒饌往慰，因從容問其國事，鉤察情形。當時玄蘇曾對誠一密語曰：

> 中朝久絶日本，不通朝貢，平（豐臣）秀吉以此心懷憤恥，欲起兵端。朝鮮若先爲奏聞，使貢路得通，則必無事。而日本之民，亦免兵革之勞矣！㊴

玄蘇的意思是，因明朝廢除貢船，不讓日本再通貢，秀吉方纔想要引起兵端，如果朝鮮能夠先爲奏聞，從中斡旋，使貢道暢通，則必能化險爲夷，使日、朝兩國人民免於傷亡。當時誠一諭以大義，但玄蘇卻以「昔日高麗導元兵擊日本，以此欲報怨於朝鮮，勢所宜然」來搪塞而其言漸悖㊵。因此，誠一乃採「不復問由」的態度。由此可知，誠一等人至此依然未能覺察事態的嚴重，亦即不知大禍已經臨頭。前文雖說因對馬與朝鮮有貿易上的來往，所以不希望發生戰事而有意將事情和平解決，可是金誠一等人竟無法覺察玄蘇言中之意。

在另一方面，充滿侵略野心的豐臣秀吉，他爲實現「一超直入大明國」的野心，乃積極準備其侵略而使之具體化，其命宗義智傳達欲使朝鮮爲先鋒之命㊶。所以此次玄蘇、調信之來，就是奉宗義智之命傳達秀吉之此一命令的。而朝鮮政府指派儐接他們的接伴官——宣慰使是弘文典翰吳億齡。玄蘇曾經對吳億齡說：「來年將假途入犯上國。」㊷因此，億齡就將此事原原本本的啟聞於宣祖。但卻由於他誠實傳達，致被解除宣慰使的職務㊸。由此看來，當時的朝鮮當局，上自宣祖，下至百官，均未能發覺事態已嚴重到甚麼地步。不過有關日本之有「假途入犯上國」的意圖，朝鮮人士，尤其是擬作「與義智書」的作者金誠一，他是必定知道的。因爲他在該書中曾謂：

> 書中又有足下所不當請而使臣所不敢問者，犯大明，取路南邊一事是爾。夫南邊，我國地方也；大明，我朝鮮臣事之國也。由我地方而犯我臣事之國，則是假乎鄰國而身與犯上之事也[44]。

所以前此金誠一使日時，宗義智可能已向他提及將欲假道入明之事。不過金誠一回國以後，對此一問題卻隻字未提。我們雖無從得知此事何以如此的眞相，但即使朝鮮當局同意日方的要求，也無從保證豐臣秀吉不會動其腦筋，而對該國不會有任何損失的。由於朝鮮政府對於玄蘇、調信之來，未能覺察事態之嚴重，所以宣祖於四月接見他們時，非僅如例予以宴享，還認爲調信往來頗效順，加以禮待而特加賜爵位而此舉實屬空前[45]。

朝鮮政府既已接到豐臣秀吉「一超直入大明國」的復書，則自非決定其應有之態度不可。所以宣祖在接見玄蘇、調信以後數日，便對大司憲伊斗壽說，想與大臣及備局諸宰臣密議倭情。都憲有計慮，雖非當預可無退，遂以倭情奏聞中朝當否議之。惟大臣以下皆難之。斗壽曰：

> 事係上國，機用甚重。殿下至誠事大，天日在上，豈可隱諱？臣意：直上聞爲是。[46]

而認爲應該毫無隱瞞的把事情的眞相哨報中朝。不過首相李山海卻恐在奏聞以後，明朝反以朝鮮通信日本爲罪而加以反對。柳成龍則贊成尹斗壽之言，以爲當即具由奏聞明朝。他說：首相雖以皇朝會怪罪我朝鮮私通日本，不如諱之，但因事往來鄰邦，乃有國之所不免。成化間（一四六五～八七），於日本亦嘗因我朝鮮求貢中國，即據實奏聞。中朝降勅回諭。前事已然，非獨今日。今若隱諱不奏，於大義不可。況賊若有犯順之謀，從他處奏聞，而天朝反疑我朝鮮同心隱諱，則其罪便不止於通信[四七]。

兵曹判書黃廷彧亦贊成遣使奏聞，其他官員及安邦俊則贊成李山海之言[四八]。由於廟堂的意見分成奏聞與不奏聞兩派，議而不決，宣祖乃下令日後更議上斷以奏聞[四九]。

迄至五月，當宣祖參加晝講時，副提學金睟對日前所論有關是否將日本有入寇意圖之消息哨報於明之事表示其見解曰：

平（豐臣）秀吉乃狂悖一夫，其言出於恐動。以此之言至於陳奏，詎是事宜？[五〇]

由於金睟認爲秀吉所言「一超直入大明國」係出於恐動，以此不實之言向明朝陳奏，並不適宜。所以宣祖乃詢問黃廷彧對此事的看法。廷彧曰：

睟之言大不然。我國事天朝二百年，忠勤至矣！今聞此言，安可恬然不奏乎？[五一]

而主張應該向明朝陳奏。金睟雖對宣祖說出上舉之言，不過他認爲在大義上固然須將此事陳奏中朝，但是黃允吉、金誠一、許筬三位使者返國後所報告的內容相左，此即爲秀吉即將入寇之消息不實的證據，所以不必哨報。然而宣祖卻以爲：

設使三人言皆同，萬無犯順之理。書契若如此，則猶當取以奏上。或言必犯，或言必不犯，此不過所見之異耳。大概爲臣子者聞上之言，而安坐不言乎？[五二]

而贊成將此一消息呈報明朝。但是金晬仍認爲事有經權，若知必犯，則固當急急陳奏，如未得實狀而遽煩上奏，以啟邊釁，豈非可悔之甚者？廷彧隨即反駁其言，以爲秀吉徒爲大言而止，則天朝與我朝鮮不害因此而防備。若果如其書契之辭，而使天朝漠然不知，猝致華夏之辱，則到那時後悔莫及[33]。

可是金晬還是認爲：

> 此皆設辭，豈至於此？上國福建一路，與日本只隔一海，商賈通行。若我國陳奏，則天朝必笑我無實，倭國必致深怨。愚臣之慮，實在於此矣！[34]

而仍持反對意見。由上舉文字可知，金晬反對哨報的理由只是顧慮「天朝必笑我無實，倭國必致深怨」，而未顧及萬一果如其言，率兵來攻時的中、朝兩國之安危問題。因此，宣祖又加以反問曰：

> 福建果近於日本，而商賈又通，則安知日本送我之書契已達於天朝？設使秀吉果不犯順，而書契已露，則天朝問於我曰：日本約與爾國入寇而不奏，何耶云爾？雖欲免引賊犯上之言，得乎？前日尹斗壽之言亦如此，奏聞不可已也。[35]

金晬對曰：

> 奏聞雖不可，已至於日本師期分明上奏，太似圭角矣！[36]

宣祖曰：

> 既以夷情奏聞，則師期乃其實也，何可没也？[37]

金晬對曰：

明言師期，實爲未妥。且奏聞之事，以爲聞於何人耶？若直擧通信之事，則無乃難乎處？㊈

由此可知，宣祖雖有意把豐臣秀吉即將入侵之消息及其師期向明朝陳奏，但金睟卻認爲奏聞雖無不可，但明言師期卻不妥當。因爲在陳奏時要如何向明朝說明此一消息的來源呢？如果說出與日本通信之事，則便很難處理了。金睟之所以持此意見，可能顧及當時明朝與日本已無官方往來，而且又嚴禁國人下海通往日本，所以懼怕身爲屬國的朝鮮私與日本交通之事爲中朝所知而受譴責。金睟既一再反對陳奏事宜，宣祖乃命左承旨柳根發表意見。根以爲大義所在，不可不奏，但一一直奏，則恐或難處，所以應該從輕奏聞比較妥適。宣祖又徵求修撰朴東賢的意見。東賢的看法與柳根大致相同。不過他認爲如果奏辭曲折，則不可草草了事。因此應該下令大臣廣義處之爲當。宣祖同意東賢的見解，下令於明早召集大臣議定㊈。

翌日，大臣李山海、柳成龍、李陽元等商議宣祖所交代的問題，並將其結果報告宣祖。《國朝寶鑑》，卷三〇，宣祖二十四年五月條云：

伏見筵中啟辭，金睟所憂雖出於慮事之周，而既聞犯上之言，安忍默默？但其奏本措辭，若不十分斟酌，則後日必有難處之患。柳根從輕之說，頗有至理。至於日本書契所答之辭，則以君臣大義，明白拒絕。而措辭之際，亦不使狠怒。蓋不惡而嚴者要當如是也。

亦即他們決定將秀吉即將入寇的消息加以沖淡後哨報明朝，給與秀吉的復書，則要舉出中國與朝鮮之間的君臣之義來拒絕他假道入明的要求。他們的這種意見獲得宣祖同意。亦即朝鮮當局對於是否把豐臣秀吉即將入寇之消息哨報於明的問題，是經宣祖親自裁定以後派遣的，其文意則以不損明朝感情爲度。於是乃於賀節使金應南來華之便，略具倭情，稱以傳聞，爲咨文於禮部㊃。然在此一時期，明朝方面盛傳朝鮮將導倭入寇，故待賀節使的態度不同往昔，直到得悉應南係負申奏之命而來，方款待如初。《國朝寶鑑》在上擧文字之後所謂：

及應南入遼界，一路譁言朝鮮謀導倭入犯，待之頓異。應南即答以爲委奏倭情來。華人喜聞，延款如舊。時漢人許儀後（俊）在日本，密報倭情㊅。琉球國亦遣使特奏，而獨我使未至，朝廷大疑之，閣言喧藉。閣老許國，獨言：吾曾使朝鮮，知其至誠，事大，必不與倭叛，姑待之。未幾而應南以咨文至，群疑稍釋矣！

及《懲毖錄》，卷一所謂：

時福建人許儀俊、陳申等，被虜在倭中，已密報倭情。及琉球國王尚寧，連遣使報聲息。獨我（朝鮮）使未至，議論藉藉。閣老許國曾使我國，獨言：朝鮮至誠，事大必不與倭叛，姑待之。未久，應南等賫奏至。許公大許，而朝議始釋然云。

即是道出其間情形者。經應南之持咨文來華，朝鮮的前嫌遂得稍釋㊇。

七、朝鮮復秀吉書的內容

朝鮮既已決心對明廷解釋自己立場，則其與秀吉的復書，自不能使充滿侵略野心的秀吉感到滿足。該書的開頭僅是禮貌上的措辭，對日方所贈禮品表示感謝之忱。言：

> 使至，獲審體中佳絡，深慰！深慰！兩國相與信義交孚，鯨波萬里，聘問以時。今又廢禮重脩，舊好益堅，實萬世之福也。所遺鞍馬、器玩、甲冑、兵具，名般甚夥，製造亦精。贈饋之誠，夐出尋常，尤用感荷！尤用感荷！(六三)

繼則進入正題，言：

> 但奉前後二書，辭旨張皇，欲超入上國而望吾國之爲黨，不知此言奚爲而至哉？自敝邦言之，則語犯上國，非可相較於文字之間；而言之不酬，亦非交鄰之義。敢此暴露，幸有以亮（諒）之。(六四)

在此所謂前後二書，其一爲前舉秀吉與黃允吉一行復書，其二則可能出自宗義智、景轍玄蘇之手者。

該復書在上舉文字之後繼言：

> 惟我東國，即殷太師箕子受封之舊也。禮義之美，見稱中華，凡幾代矣！逮我皇朝，混一區宇，威德遠被。薄海內外，悉主悉臣，無敢違拒。貴國亦嘗航海納貢而達于京師。況敝邦世守藩封，執壤是恭，侯度無愆。故中朝之待我也，亦視同內服。赴告必先，患難相救，有若家人、父子之親者。此貴國之所嘗聞，亦天下之所共知也。夫黨者偏陂反側之謂。人臣有黨者，天必殛之，況舍君父而黨鄰國乎？嗚呼！伐國之問，仁者所恥聞，況於君父之國乎？敝邦之人素秉禮義，知尊君父，大倫大經，賴而不墜。今固不以私交之厚，而易天賦之常也，豈不較（

皎）然乎？(六五)

而舉出屬國對宗主國應有之態度的道理來委宛拒絕秀吉之要求。並且更言：

竊料貴國今日之憤，不過恥乎見擯之久，禮義無所效，關市不得通，並立於萬國玉帛之列也。貴國何不反求其故，自盡其道，而唯不臧之謀是依，可謂不思之甚也。二浦開路之事，在先朝約誓已定，堅如金石。若以使价一時之少倦，而改久立之成憲，則彼此俱失之矣！其可乎哉？不腆土宜，具在別幅。天時正熱，只冀若序，萬里不宣！(六六)

所謂「二浦開路」，就是要一如往昔的開放薺浦（乃而浦）、鹽浦兩個港埠。這段文字，乃斷然拒絕玄蘇等人所要求之「假道入明」者。此爲朝鮮政府給豐臣秀吉的正式答覆。據此可知，朝鮮未聽從日方之無理要求。如據《朝鮮通交大紀》所紀金誠一〈擬答對馬島主書〉所謂：

我（朝鮮）國之法，除釜山一路，皆以戰倭論斷。如有犯者，則邊吏必以軍法從事，此貴（對馬）島之所明知也。而足下今有云云之請者，豈不以信使既通，義爲一家，雖犯境行師，亦無所禁故耶？雖然，貴國，友邦也；大明，君父也。今若許貴國使路，則是知有友邦，而不知有君父也。

則上述日方之要求開放薺浦、鹽浦兩個港埠，必是擬用以假道入明者。而此一要求，可能也是宗義智等人赴朝鮮交涉的主要目的。但朝鮮能深明大義，顧及屬國對君父之國的立場而拒絕其要求，故可謂其立場站得相當穩固。至於秀吉是否見到此書，則不可得而知之。

宗義智看到玄蘇所齎朝鮮之復書後，深覺事態之嚴重、緊迫，乃親赴釜山警告朝鮮當局。《懲毖錄》，卷一云：

（柳川）調信、（景轍）玄蘇自回。辛卯（萬曆十九年），平（宗）義智又到釜山浦，爲邊將云：日本欲通大明，若朝鮮爲之奏聞，則幸甚！不然，兩國將失和氣。此乃大事，故來告。邊將以聞。時朝議方咎調信，且怒其悖慢，不報。義智泊船十餘日，怏怏而去。

《寬政重修諸家譜》，第三輯，六三六頁亦云：

（萬曆十九年）六月，義智至釜山，告以太閤（豐臣秀吉）之意云：我受命欲使朝鮮爲嚮導。今既欲使明朝請和於我（日本），彼此通好，則貴國之禍，亦及於旦夕。雖然，仍未應允。於是義智還告太閤，獻朝鮮國地圖。

《國朝寶鑑》，卷三〇，宣祖二十四年五月條則於記述上舉之事後繼云：

是後，歲朝倭船不復至。留館倭常有數十餘人，而稍稍入歸，至壬辰春而一館空矣！

所謂歲朝倭船，就是朝鮮太祖李成桂爲消弭倭寇之患而採取招撫政策，同意日本西陲之大名（諸侯）每年遣船至朝鮮貿易，且允許他們在指定的地點居住㊺。上舉文字既言留館倭至壬辰（萬曆二十年）春而全部撤走，則他們是爲避開即將發生之戰亂而返回日本的。又，我們如將上舉那些史料相對照，自能明白當時情形無遺。

秀吉雖已著著準備其侵略步驟，但朝鮮當局卻仍在曚昧中而不自覺。因此朝鮮只對明朝解釋自己與嚮導日本入侵中朝無關，而完全未請明朝戒備。然因明朝從陳申、許儀俊、琉球處，再三獲得日本即將興侵略之師，遂使遼東都司移咨朝鮮，查詢其內情，所以朝鮮當局至同年八月方纔決定派遣專使[六八]。迄至十月，遣陳奏使韓應寅等陳奏日本威脅朝鮮欲入寇中朝等情，且辯咨內流言之誣。令簽知崔岦製表文甚委曲，而不能悉陳通使答問之事，猶畏諱也[六九]。《宣祖實錄》，卷二五，二十四年十月癸巳朔丙辰條云：

奏請使韓應寅、書狀官辛慶晉、質正官吳億齡等發行。先是，日本國使臣玄蘇等之來也，言欲犯大明，使我國指路。上議于廷臣。聖節使金應南之去也，以倭則欲犯上國之意，移咨于禮部，只據漂流人來傳之言爲證，而遣通信使往來之言，初不及之也。倭奴等以犯上國之言，亦布於琉球，且言朝鮮亦已屈服，三百人來降，方造船爲嚮道，云云。琉球以其言聞于上國，故兵部使遼東移咨于我國，問其然否？以此別遣陳奏使暴白其曲折也。

由此可知，朝鮮當局之所以派專使韓應寅一行來中國，係因遼東都司移咨彼邦查詢日本即將興兵入侵之內情，但該國仍畏諱而不敢悉陳通使答問之事。也就是說，朝鮮政府到了這個時候，還不知大禍已經臨頭。《神宗實錄》，卷二四二，萬曆十九年十一月癸亥朔丙寅條云：

朝鮮國王李昖具報：本年五月內，有倭人僧俗相雜，稱關白平秀吉併吞天下六十餘州，琉球、南蠻皆服。明年三月間要來犯，必許和方解。

《明史》，卷三二〇，《朝鮮傳》則云：

（萬曆）十九年十一月奏：倭酋關白平（豐臣）秀吉，聲言明年三月來犯。

此二則史料，應是指此一事情而言者。但其所哨報者，也僅是「平秀吉聲言明年三月來犯」而已。雖然如此，當韓應寅一行抵明廷後：

（神宗皇）帝出御皇極殿，引使臣，慰諭勤懇，賞賚加厚，降勅獎諭。皇帝久不御朝，外國使臣親承臨問，前所未有也。㉖

此次遣使所哨報之倭情雖較前詳細，不但未受明朝譴責，反而賞賚加厚，且降勅獎諭。於是朝鮮方纔放大膽子，「續遣申點等謝恩，令奏賊情，比前加詳。」㉗可見朝鮮是在仰明朝的鼻息之後派遣第三次使節，始將眞情吐露出來。於是神宗乃下令兵部申飭沿海提防，並認爲朝鮮偵報具見忠順而下令加賞，以示激勵㉘。兵部奉勅後即疏呈其部署情形云：

據朝鮮咨報，倭賊入犯似真。沿海防汛將兵，務要遠哨，堵截海洋，毋得各省互相推諉。巡撫未赴任者，著作急催促。㉙

在兩廣方面，總督兩廣侍郎劉繼文，也針對豐臣秀吉入寇問題備陳防倭條議，就東南沿海要害地方的設防，武器的使用，將領的遴選，兵員的訓練等問題提出具體可行的建議而獲神宗採納㉚。由此可知，明廷是經朝鮮之哨報以後方纔主動下令戒備沿海的㉛，不過，朝鮮本身卻没有爲此加強國防，動員兵員，並使一般民衆提高警覺之跡象，致日軍入侵時遭逢極大的損失。

以上係豐臣秀吉之要求朝鮮假道入明的交涉經緯，及朝鮮將此一消息哨報於明的經過。據此可知，當時的朝鮮政府爲要掩飾其與日本通信往來之事實，故在事情發生之初，其在中央的決策人士曾爲是否遣使哨報倭情而有過一番爭執。在決定消報後，也未派遣專使而採取由其賀節使順便提及之方式，其所呈報之內容也將事實盡量沖淡而唯恐有傷與明朝之感情。而當其賀節使抵華，瞭解中朝之態度以後，纔遣專使到中國作比較詳細的說明，但也仍未說出事情的眞相。直到神宗接見其使節，賞賚有加，這纔作第三次遣使，把日本即將入寇之消息原原本本的吐露出來。以致延宕時日，貽誤戎機，失去了從容處置的最佳時機，終演難以收拾的局面。

八、結　語

當時的朝鮮廟堂不僅對明朝的態度如此，就是已風聞日本即將入寇之消息而對其本身之防備問題也絲毫未予警戒。其所以如此的原因雖與其使節人員之一味黨爭，致回國以後未能將他們在日本的所見所聞如出一口的報告有關，但其上自國王，下至百僚之竟未能警覺察知事態之嚴重性而加強本身之防備，並請明朝採取應有之防範拱施，立即請派援軍助己，也是使該國在敵人入侵之初即蒙受嚴重的財物損失，與人員傷亡之重大因素。所以當敵人登陸，王京在瞬息之間淪陷，國王逃至義州，欲渡鴨綠江至遼東內附時，由於明朝對朝鮮將嚮導日本來寇的疑慮尚未全消，致連其國王之眞假亦被懷疑，所以一時難於決定是否遣軍援救㊥。因此可說，誤明、誤朝鮮者，實爲朝鮮本身，朝鮮並非無端受到明朝之懷疑的。所幸後來在明廷大臣之間幾經爭議以後，終於決定加以援手。於是以宋應昌爲經略，李如松爲提督薊遼保定山東等處防海禦倭總兵官，遣兵援朝。當時明朝曾遣龐大的隊伍，耗費數十萬兩銀子，歷經七年餘征戰，終於保住了這個半島。明廷此舉可說是完全爲朝鮮而義不容辭作此浩大犧牲，可謂仁至義盡。然而此事實爲朝鮮自誤誤人之所致。如果當時明朝未伸援手，則朝鮮半島早就淪於豐臣秀吉之手而不待甲午戰爭以後了。

【註 釋】

㈠ 金時讓，《紫海筆談》（鈔本，漢城大學典藏）。請參看，茗上愚公（茅瑞徵），《萬曆三大征考》，卷上；及谷應泰，《明史紀事本末》，卷六二，〈援朝鮮〉。

㈡ 鄭樑生，《明代中日關係研究》（民國七十四年，臺北，文史哲出版社），四三〇頁。

㈢ 《玄覽堂叢書》，續集。

㈣ 鄭若曾，《籌海圖編》，卷八，〈寇踪分合始末圖譜〉。

㈤ 萬表，《海寇議》。田中健夫，〈一六世紀の日明關係と王直〉，收錄於《外來文化と九州》（一九七三年，東京，平凡社，《九州文化論集》，二）

㈥ 有關王直之崛起海上及其被捕、處死的經緯，請參看《世宗實錄》，卷四七八，嘉靖三十八年十一月戊辰朔丙申條；采九德，《倭變事略》，同年同月二十五日條；許重熙，《嘉靖以來注略》，卷五，同年月條，鄭樑生，《明史日本傳正補》（民國七十年，臺北，文史哲出版社），六二四～六四〇頁，《明代中日關係研究》，四二九～四四八頁；陳文石，〈明嘉靖年間浙福沿海寇亂與私販貿易的關係〉（《史語所集刊》，第三十六本）。

㈦ 今宮新，〈豐臣秀吉の對外政策について〉（《法學研究》，第二十五卷十一、十二號）。

㈧ 武田勝藏，〈伯爵宗家所藏公文書と朝鮮陣〉（《史學》，第四卷三號）所錄秀吉之復書內容如下：

上月十三日書，於本月四日到達薩（摩）州千代川。而特遣柳川權助、鷹五居弟兄，並花蓆十枚，弓五十張與矢，頗爲喜悅。九州之事已平均分攤，請早日挪出時間。至征討高麗（朝鮮）國之人員，請差派以成其事，而以忠勤爲要。然則如今要交人質，則應爲親生子而不可遷延時日。此事應告訴小西日向守（行長）也。

五月四日　（秀吉朱印）

宗讚岐守（義調）先生

㈨ 請參看田中健夫，《中世對外關係史》（一九七五年，東京，東京大學出版會），二〇八頁。

㈩ 伴信友，《中外經緯傳》（續群書類從本）。

㈡ 《寬政重修諸家譜》，第三輯（大正六年，東京，榮進社出版部），六三六頁。

㈢ 田中健夫，前舉書二〇頁。

㈢ 柳成龍，《懲毖錄》（一九七三年，漢城，大洋書籍，《韓國名著大全集》），卷一。

⑭ 同前。

⑮ 同前。

⑯ 《國朝寶鑑》（一九七一年，漢城），卷二九，宣祖二十年條。

⑰ 同註⑬。

⑱ 《國朝寶鑑》，卷二九，宣祖二十一年夏四月條。韓國其他文獻，如《宣祖實錄》等，均將此宗義智之赴朝鮮紀爲二十二年，故《國朝寶鑑》所紀二十一年應爲二十二年之誤。

⑲ 《宣祖實錄》（東國文化社本），卷二三，宣祖二十二年八月丙子朔己卯條。

⑳ 同前。

㉑ 《國朝寶鑑》，卷三〇，宣祖二十二年秋七月條。

㉒ 同前。

㉓ 《宣祖實錄》，卷二四，宣祖二十三年正月甲辰朔庚申條。

㉔ 《宣祖實錄》，卷二四，宣祖二十三年三月壬寅朔丁未條。《國朝寶鑑》，卷三〇，宣祖二十三年三月條。

㉕ 柳成龍，《懲毖錄》，卷一。《寛政重修諸家譜》，第三輯，六三六頁。

㉖ 《續善鄰國寶記》（讀群書類從本），〈朝鮮國王李昖致豐臣秀吉書〉。

㉗ 《續善鄰國寶記》〈朝鮮國王李昖致豐臣秀吉書別幅〉。此別幅所紀之土產內容，與當時接待通信使人

員之一的勸修寺晴豐的日記——《晴豐記》所記載者有若干出入，到底何種正確，實不可得而知之。

㉙ 有關秀吉之生平問題，筆者曾在《明史日本傳正補》，七〇九～七二六頁中予以考正，請參閱。

㉚ 柳成龍，《懲毖錄》，卷一。

㉛ 〈僧正松雲問答〉。

㉜ 《宣祖實錄》，卷二五，宣祖二十四年正月戊戌朔癸卯、庚戌條。《國朝寶鑑》，卷三〇，宣祖二十四年三月條。安邦俊，《隱峰野史別錄》（漢城大學，奎章閣藏書）。

㉝ 安邦俊，《隱峰野史別錄》。

㉞ 柳成龍，《懲毖錄》，卷一。

㉟ 同註㉝。

㊱ 德富豬一郎，《近世國民史》，〈豐臣時代〉，〈朝鮮役〉，上卷（昭和十年，東京，明治書院），二一五～二二六頁。請參看柳成龍，《懲毖錄》，卷一之相關記載。

㊲ 同註㉝。

㊳ 同前。

㊴ 《國朝寶鑑》，卷三〇，宣祖二十四年閏三月條。

㊵ 同前。

㊶ 《寬正重修諸家譜》，第三輯，六三六頁。

㊷《野史初本》（漢城大學，奎章閣藏書）。

㊸同前。

㊹金誠一，〈擬答對馬島主書〉，收錄於《朝鮮通交大紀》。

㊺《國朝寶鑑》，卷三〇，宣祖二十四年夏四月條云：「上御仁政殿接見平調信、玄蘇等，宴賞如例。始用臺啟，停女樂。上特加賜調信一爵（嘉善大夫）曰：古無此例，而爾自前往來頗效恭順，故特加禮待之。調信拜謝。」

㊻《國朝寶鑑》，卷三〇，宣祖二十四年夏四月條。

㊼柳成龍，《懲毖錄》，卷一。《懲毖錄》所紀成龍之意見雖如是，但安邦俊，《隱峰野史別錄》所記載者卻是他反對奏聞。孰是孰非，實難據以論斷。

㊽安邦俊，《隱峰野史別錄》。

㊾同註㊻。

㊿《國朝寶鑑》，卷三〇，宣祖二十四年五月條。

(51)同前。

(52)同前。

(53)同前。

(54)同前。

(五五) 同前。

(五六) 同前。

(五七) 同前。

(五八) 同前。

(五九) 同前。

(六〇) 同前。柳成龍，《懲毖錄》，卷一。

(六一) 如據侯繼高，《全浙兵制考》（東京，公文書館藏本），附錄，〈近報倭警〉所紀許儀俊所哨報之內容是：「關白（豐臣秀吉）吞併列國，惟關東未下。去年（萬曆十八年）六月八日，集衆諸侯於殿前，命將率兵十萬征東日重圍其城，四面匝築小城以守。吾即欲渡海侵唐（明），遂命肥前守造船。越十日，琉球遣僧入貢，賜金四百兩。囑之曰：吾欲遠征大唐，以汝琉球爲引導。」

(六二) 《國朝寶鑑》，卷三〇，宣祖二十四年五月條。

(六三) 《國朝寶鑑》，卷三〇，宣祖二十四年五月條。《朝鮮通交大紀》並見此書。

(六四) 同前。

(六五) 同前。

(六六) 同前。

(六七) 請參看中村榮孝，《日鮮關係史の研究》，下冊（昭和四十四年，東京，吉川弘文館），第一章，〈歲遣船定約の成立——十五世紀朝鮮交鄰體制の基本約條〉。

(六八)《國朝寶鑑》，卷三〇，宣祖二十四年八月條云：「八月，遼東都司移咨我國具報倭情，蓋因許儀後誣奏也，備邊司始決專使陳奏之議。」

(六九)《國朝寶鑑》，卷三〇，宣祖二十四年冬十月條。

(七〇)安邦俊，《隱峰野史別錄》則云：「天朝大加褒奬，仍賜銀、絹。頒賞主奏聞諸臣將。……於是西厓（柳成龍）、海源（尹斗壽）諸公，皆得銀、絹。蓋奏聞一事，專出於重峰（趙憲）。而西厓、海源無一言推讓，反以爲自得。大臣無廉恥若此，國安得不亡乎？」

(七一)《國朝寶鑑》，卷三〇，宣祖二十四年冬十月條。

(七二)《神宗實錄》，卷二四二，萬曆十九年十一月癸亥朔丙寅條云：「朝鮮國王李昖具報：本年五月內，有倭人僧俗相雜，稱關白平秀吉併呑六十餘州，琉球、南蠻皆服。明年三月間，要來侵犯，必許和方解。有旨：著兵部申飭沿海堤（提）防。該國偵報具見忠順，加賞以示激勵。」

(七三)《神宗實錄》，卷二四二，萬曆十九年十一月癸亥朔癸酉條。

(七四)《神宗實錄》，卷二四二，萬曆十九年十一月癸亥朔壬午條云：「總督兩廣侍郎劉繼文，備陳防倭條議，其議險要，當以沿海要害處多設疑兵，其議師旅，當于水塞專練主兵截之外洋。一、戎器爲長技，合用噴筒等燒帆焚櫓，復用綿甲遮避箭砲。一、將領宜慣海，如陳璘、武應隆，宜令大立戰功，保薦敘用。民兵當練，而借調商船、漁船，以備緩急。姦徒當禁盡，迫沒私販財産以重賞賚。惠潮、海南二兵，巡道准給軍門原領旗牌一面，假以便宜。又查薊鎭禦虜事宜，容虜馬匹入犯，即坐失機之罪，宜照例刊布曉示。有警，守巡總兵官督功紀罪，信賞必罰。至澳夷內集，恐虞不測。合于澳門外建抽盤廠于香山、大埔雍陌地方。至以同知駐劄新安，通判駐劄雍陌，汛畢方回。仍將倭奴入犯情節曉諭澳夷，令其擒斬關白入獻，重加賞賚，尤銷（消）患、安邦之一策也。著如議行。」

㉟ 前此，當琉球、許儀俊等人將豐臣秀吉即將入寇之消息哨報給福建巡撫趙參魯時，參魯雖曾建議中央防賊登岸，防姦徒勾引，及選將加強戰備，但其辦法較劉繼文所提者籠統。請參閱《神宗實錄》，卷二三八，萬曆十九年八月癸巳朔甲午、乙巳條。

㊱ 《國朝寶鑑》，卷三一，宣祖二十五年六月條云：「皇朝賜犒軍銀二萬兩。時遼（東）人煽動訛言，或傳朝鮮與倭同叛，佯爲假王嚮導以來，故先遣林世祿等來探于平壤。及上去平壤，連咨遼鎭，請率妃嬪、子女、陪臣內附。遼東巡撫御史郝杰奏云：據捻兵佟養正稟報，朝鮮號稱大國，世作東藩，一遇倭賊至，望風而逃，倘彼國社稷失守，突爾來奔，其在守臣，拒之則棲依無所，外服失仰賴之心，納之則事體非輕，臣子無專擅之義。倭奴譎詐異常，華人多爲嚮導，若挾詐闌入，貽害非常，則作何處置？兵部尚書石星，覆題請令該鎭差人宣諭朝廷至意，使至來奔，則復國無期，倭遂占據。固守則援兵可待，倭自敗回。令之住 彼界險阨，以待天兵之援。仍諭本國多遣陪臣，號召勤王之師，以爲恢復舊疆之策，不得甘心敗沒。萬一該國危急來奔，亦難盡拒。宜勅令容納，亦須□名數毋過百人。奉皇旨曰：倭賊陷沒朝鮮，國王逃避，朕甚愍惻。援兵既遣，差人宣諭彼國大臣，著他盡忠護國，督集各處兵馬，固

守城池，控阨險隘，力圖恢復，豈得坐視喪亡？聖旨特下，而遼鎮猶未釋疑，遣宋國臣來驗國王眞假。國臣歸報云：的是眞王，非假王也。遼鎮信之。朝論亦多異同。石星銳意應援。我使申點，方在會同館，星呼至庭。出遼東報變文書示之，點即號慟，朝夕哭臨，呈文兵部，先請援兵。柳夢鼎繼至，哭訴於兵部，請速發救兵。星感其意，皆復帖慰諭，比之申包胥，星意益堅。兵部奏遣指揮黃應暘來覘。上（李昖）迎見于龍灣館，應暘索倭書驗之。李恒福先已將辛卯通信使賚回倭書來，故出以示之。其中文字有已經咨奏者，應暘叩膺出涕曰：朝鮮替上國受兵而義聲不彰，反被惡名，天下寧有是乎？遂以歸報兵部。星大喜，東援之議乃決。」

明代中琉兩國封貢關係的探討

一、引言

大家都知道，明朝與琉球王國的交通始自洪武五年（察度王二十三年，一三七二）正月，太祖遣行人司之行人楊載持詔往諭，同年十二月束裝西返之際，彼國中山王察度遣乃弟泰期一行隨楊載來華奉表文，貢方物之時㈠。此後，中、琉兩國的交通便綿延不斷，直到清末，前後長達五個世紀之久。其間，該國雖曾有過分別朝貢中、日兩國之事實，但無論如何，它之始終忠誠納貢，事實見諸史乘誠斑斑可考。

有關明代中、琉兩國的貿易事宜，已有不少學者探討過，尤其小葉田淳教授在此一方面更是公認已有傑出之研究㈡，所以如果還要老調重彈，則難免班門弄斧之譏。實乃因雙方使節之身分，明廷對其國王、王妃及使節之賞賜，附搭物件的收購，及對其貢舶貿易所滋生的問題卻少有人提及，因此，遂不揣淺漏，擬就《明實錄》、《球陽》、《中山世譜》所見之紀錄，來探討這些問題。

二、中琉兩國封貢關係的建立

明太祖曾於洪武五年改瑠求爲琉球㊂。就如前文所說，同年末，其王察度曾遣王弟隨明使來華稱臣納貢，中、琉兩國的朝貢關係於是成立。當時的琉球是中山、山南、山北鼎立，互爭雄長而中山最爲優勢。察度之所以立刻就撫，當是在三山分庭抗禮之下，想藉助與明所建立之政治關係，來使自己居於更有利的地位㊃。時代雖稍晚一些，但在憲宗成化十五年（一四七九）三月，尚眞王在其表文中所謂：

實欲依中華眷顧之恩，以杜他國窺伺之患，而殷勤効貢者也。㊄

即是表明他懷有這種心跡之最佳例證。又，當時的琉球早已與東南亞各國有貿易上的來往，故除政治關係外，也可能希望假藉與明所建之政治關係，來加強、擴大其對當時東亞之國際貿易，從而使其國內財源更爲充裕，民生更加富足的。迄至洪武十六年，太祖賜與察度「鍍金銀印並文綺帛紗羅凡七十二匹。」㊅

明與中山所建邦交的經過如此，那麼，山南、山北究竟從甚麼時候開始朝貢於明呢？《太祖實錄》，卷一五一，洪武十六年正月乙巳朔條云：

是日，琉球中山王察度，遣其臣亞蘭匏；山南王承察度，遣其臣師惹等，進表，貢馬及方物。

《球陽》，卷一，察度王三十四年（太祖遣梁民、路謙齎詔至國諭知三山）條則云：

> 琉球國自玉城王自分爲三，而三王互爭，廢棄農業，傷殘人命，竟不相息焉！而中山王遣亞蘭匏等表賀元旦；山南王承察度始遣師惹等奉表入貢。（山南入貢自此而始）由是太祖賜中山王察度鍍金銀印一，幣帛七十二疋。且賜山南王承察度幣帛七十二疋。且遣中使梁氏及路謙　勅至國，即詔一道賜中山王，又詔一道賜山南、山北二王。令三王息民戰，養人生。中山王察度，山南王承察度，山北王怕尼芝，各受其詔，罷戰息兵，亦皆遣使謝恩。太祖賜三王衣幣。（山北入貢自此而始）

《中山世譜》，卷三，洪武十六年癸亥條則除紀此一史實外，並錄太祖所賜詔書的內容。而清乾隆十二年（一七四七）撰《皇朝文獻考》所謂：「賜以鍍金銀印，文曰琉球國王」，此乃象徵冊封關係已經成立，從而被明朝納入爲中華世界帝國之一員。由此觀之，山南、山北之入貢於明，是從洪武十六年開始的。而明廷之頒賜鍍金銀印給山南、山北二王，則在其入貢兩年後的洪武十八年㈦。於是琉球三王都與明建立冊封關係了。明廷賜與中山王的印文雖如前述，但與山南、山北二王的印文是否與此相同，因筆者未見過相關文獻，故不知其詳。

山南王承察度去世（永樂二年，一四〇三）後，其弟汪應祖繼位，接受成祖冊封㈧。十年後，應祖爲乃兄達勃期所弒，由世子他魯每爲王。翌年，遣鄔世侄結制等入貢㈨，成祖乃命行人陳秀芳赴琉冊封他㈩。之後，山北王攀安知於永樂十四年，山南王他魯每則於宣德四年（一四二九），先後爲中山王尚巴志所滅㈩，中、琉兩國關係至此便成爲明朝與中山的關係。而中山之所以能夠先後將山北、山南兩王國消滅，完成統一琉球之大業，此可能因尚巴志之英明使然。但中山之位居該國中部，且擁有較好港口，使佔地利之便的它能夠先於山北、山南與明從事貢舶貿易，獲得偌大利益，從而充實國力，當爲主要原因。

三、中琉兩國使節

明廷雖要求琉球臣服，卻未曾干涉其內政，即使對日本、朝鮮而言，其情形亦復如此。琉球自從察度接受太祖詔諭來華朝貢起，至洪武二十八年（一三九五）十月他去世爲止，曾爲進貢、謝恩、賀冬至遣使來華二十五次。我們從《明實錄》、《球陽》、《中山世譜》等史乘的記載可知，自三山統一至明末，其入貢非常頻繁。明朝雖規定它兩年一貢，然曾經有一段相當長的時間一年數貢或一年一貢。至明末則有時被定爲三年一貢或五年一貢。在明朝方面，也自察度王之治世起，至尚質王爲止的十八代國王在位期間，曾經派遣冊封使十五次。其間，雖也曾以洽購該國產物或負其他任務而赴琉者，但爲避繁瑣起見，僅將其遣冊封使的情形表列如次：

由表一可知，有明一代在位的國王中，未曾接受冊封者僅有尚宣威，尚質兩位。尚宣威之所以未曾受封，或許其在位期間僅有半年所致㉓，尚質則可能因他繼位時，適逢明末戎馬倥傯之際，無法兼顧屬國。然如據《清世祖實錄》，卷八五，順治十一年七月戊子朔條的記載，則清廷曾遣兵科副理事張學禮，行人司行人王垓爲正、副使，齎勅印前往琉球冊封尚質爲中山王。由此看來，尚質只是未接

表一：明廷冊封琉球國王使節一覽表

明朝皇帝	元號	西元	琉球王	正使	副使	典據	備註
太祖	洪武五年	一三七二	察度	行人 楊載	不詳	太祖實錄，卷七七，洪武五年十二月甲戌朔壬寅條 球陽，卷一，察度王二十三年條 中山世譜，卷三，察度王，洪武五年條	
成祖	永樂二年	一四〇四	武寧	行人 時中	不詳	太宗實錄，卷二八，永樂二年二月壬寅朔壬辰條 球陽，卷一，武寧王九年條 中山世譜，卷三，武寧王，永樂二年條	球陽，卷一，武寧王九年條（附）謂：「察度王始通中朝，自爾而後，天使數次來臨，至于武寧，始受冊封之大典，永著爲例。」
成祖	永樂五年	一四〇七	尚思紹	不詳	不詳	太宗實錄，卷六六，永樂五年四月乙酉朔乙未條	球陽與中山世譜均未紀冊封使赴琉事
仁宗	洪熙元年	一四二五	尚巴志	內官 柴山	不詳	仁宗實錄，卷七上，洪熙元年二月辛丑朔條 球陽，卷二，尚巴志王四年條 中山世譜，卷四，尚巴志王，洪熙元年條	柴山著有《柴山碑記》

英宗	正統八年	一四四三	尚忠	給事中 俞忭	行人司行人 劉遜	球陽，卷二，尚忠王四年條 中山世譜，卷五，尚忠王，正統八年條	
英宗	正統十二年	一四四七	尚思達	給事中 陳傳	行人司行人 萬祥	球陽，卷二，尚思達王四年條 中山世譜，卷五，尚思達王，正統十二年條	
代宗	景泰三年	一四五二	尚金福	給事中 陳謨	行人司行人 董守宏	球陽，卷二，尚金福王三年條 中山世譜，卷五，尚金福王，景泰三年條	英宗實錄所紀正使爲喬毅，副使童守宏
代宗	景泰六年	一四五五	尚泰久	給事中 嚴誠	行人司行人 劉儉	英宗實錄，卷二五二，景泰六年四月丙子朔辛卯條 球陽卷二，尚泰久王三年條 中山世譜，卷五，尚泰久王，景泰六年條	球陽所紀正使爲劉秉彝
英宗	天順七年	一四六二	尚德	吏科給事中 潘榮	行人司行人 蔡哲	球陽，卷二，尚德王三年條 中山世譜，卷五，尚德王，天順七年條	潘榮著有《中山八景記》
憲宗	成化八年	一四七二	尚圓	兵科給事中 官榮	行人司行人 韓文	球陽，卷三，尚圓王三年條 中山世譜，卷六，尚圓王，成化八年條	

憲宗			尚宣威				
憲宗	成化十六年	一四八〇	尚眞	兵科給事中 董旻	行人司右司副 張祥	憲宗實錄，卷二〇一，成化十六年三月辛巳朔辛卯條。球陽，卷三，尚眞王三年條	
世宗	嘉靖十三年	一五三四	尚清	吏科給事中 陳侃	行人司行人 高澄	世宗實錄，卷一七七，嘉靖十四年七月庚午朔甲子條，卷一八二，同年十二月丁亥朔丁酉條 球陽，卷四，尚清王八年條 中山世譜，卷七，尚清王，嘉靖十三年條	陳侃著有《使琉球錄》高澄著《操舟記》
世宗	嘉靖四十一年	一五六二	尚元	戶科給事中 郭汝霖	行人司行人 李際春	球陽，卷四，尚元王七年條 中山世譜，卷七，尚清王，嘉靖四十一年條	實錄僅紀尚元遣其舅源德等來華謝恩
神宗	萬曆七年	一五七九	尚永	戶科給事中 蕭崇業	行人司行人 謝杰	球陽，卷四，尚永王七年條 中山世譜，卷七，尚永王，萬曆七年條	
神宗	萬曆三十四年	一六〇六	尚寧	兵科給事中 夏子陽	行人司行人 王士禎	球陽，卷四，尚寧王十八年條 中山世譜，卷七，尚寧王，萬曆三十四年條	夏子陽著有《使琉球錄》

毅宗	崇禎六年	一六三三	尚豐	戶科給事中　杜三策	行人司行人　楊掄	球陽，卷五，尚豐王十三年條 中山世譜，卷八，尚豐王，崇禎六年條	杜三策著有《使琉球錄》，已佚亡
			尚質				清世祖實錄，卷八五紀於順治十一年七月戊子朔遣兵科副理事官張學禮，行人司行人王垓齎勅印往封尚質爲中山王

受明廷之冊封，而改爲接受清廷之冊封而已。

如衆所周知，從十四世紀中葉起，倭寇自朝鮮半島沿岸南下，在明初即已侵掠中國沿海郡縣，後來則連臺灣也成爲他們劫掠的目標之一，其間琉球也蒙受其害㊂。世宗嘉靖六年（一五二七），此一群島曾受非比尋常的襲擊㊃，致福建、琉球之間的航路也受到威脅。迄至世子尚元繼尚清之後，於嘉靖三十五年就王位，翌年援例遣使，以正議太夫蔡廷會，長史蔡朝器等使華。尚元除進貢外，又請冊封。當時世宗雖命戶科給事中郭汝霖，行人李際春爲冊封正、副使，然因海寇出没不時，不及開洋，直到六年後方纔完成此一大事㊄。在這個時期，也許因爲倭寇侵擾，明，琉兩國關係遂致疏遠，致使前此與琉球保持著若即若離之關係的日本注意到彼此修好的重要性㊅。當時的日本是島津氏以薩摩爲據點。琉球聞薩摩平定其鄰「國」，尚元乃以僧爲使，往薩摩致賀，並表示欲修好之意，而島津氏亦曾修親筆函作覆。自此以後，雙方交通逐漸頻繁㊆。

當時琉球派往日本的使節大都爲僧侶，他們有如日本五山禪僧之受重用而使華。抑有進者，多登用由福建移民的三十六姓之子孫㊅。當尚元於明穆宗隆慶六年（一五七二）去世後，其子尚永在神宗萬曆元年（一五七三）繼位。尚永除請明廷冊封外，也派僧侶前往薩摩通好㊈。惟因當時的日本戰亂頻仍，薩摩自然無暇顧及琉球。尚元死後，尚寧於萬曆十七年就王位，至十九年方遣使告訃於明；二十七年纔遣使請封。神宗之遣冊封使，係在三十四年，亦即尚寧繼位後十八年。據說琉球之所以把請封之事拖延的原因，在於國事多端，無法遣使請求㊉。據情推理，則必因其國內連續發生重大變故，方致無法顧及此傳統之請封問題。但抑或因琉球重視對日關係甚於對華關係使然，亦無不可㊁。惟琉、日交通，及在其後所發生的問題並非本文考察範圍，姑且不談。

明廷遣往琉球的正使，除洪武五年的楊載，永樂二年的時中爲行人，洪熙元年的柴山爲內官外，其餘都是給事中。副使則除成化十五年的張祥爲行人右司副外，其他都是行人。如據《明史》，卷七四，《職官志》三所紀，則六科給事中的品秩爲從七品，行人司左右司副從七品，行人正八品，所以他們的官位不高。次言內官柴山。所謂內官，乃指奉職京師之官吏而言，所以又稱京官。係與外官之相對稱呼。然在此場合，不僅指中央政府官吏，連司棣校尉、京尹、京縣縣令、知縣等包含首都在內的地方官也叫內官的㊂。因《實錄》與《球陽》、《中山世譜》僅言內官，故其身分不詳。然因太監也稱內官，而明代又常以太監爲使節，所以柴山或許爲宦官。又，我們雖不知隨正使楊載、時中、柴山赴琉的副使爲誰，但其正使的品秩既如上述，則他們的地位應較正使爲低㊃。此與當時遣往日本的使者之有行人（正八品）、僧錄司右闡教（正六品）、鴻臚寺少卿（從五品）、府同知（正五品）、右通政（正五品）、侍郎（正三品）比起來，明廷派往琉球的使節之品秩實遠不如遣往日本者[34]。就所賜印章而言，日本、朝鮮兩國所獲者爲金印，琉球則爲鍍金銀印，則琉球所受重視的程度似乎又不如日、朝兩國。至於琉球所遣貢使，如據《明實錄》、《大明會典》、《皇明外夷朝貢考》、《球陽》、《中山世譜》等書所載，則其正、副使有正議大夫、長史、王姪、王相、寨公、王舅等，俱爲彼邦之高階層人物，此與日本之以京都五山禪僧爲使節的情形又不相同。

以上係就明廷所遣冊封正、副使及琉球貢使之身分而言。此外，中朝也在其他場合遣高官赴琉的。如：洪武九年（察度王二十七年）前往彼邦市馬與硫黃的刑部侍郎（正三品）李浩[35]，即是好例。但這種場合，其任務可能較冊封使爲重，所以方採這種措施吧！

四、明廷對琉球的賞賜

明太祖在洪武二年以後，曾遣使詔諭四鄰諸國，告以建國事。三年，置市舶司於寧波、泉州、廣州，以備日本、琉球、暹羅及西洋各國來貢。宋、元時代，外國商船可以自由來華貿易，明則只許買賣貢舶附載的貨物。太祖以爲：古制「番邦遠國，則每世一朝，其所貢方物，不過表誠敬而已。」因此在七年三月，以高麗近中國，有文物、禮樂而與他國不同，可執三年一聘之禮，如欲每世一見，亦從其意。對占城、安南、西洋瑣里、爪哇等國家，則言其入貢頻繁，勞費甚多。乃通知它們宜遵古制，無須頻頻入貢㉖。同年同月，廢市舶司。

表二：對諸國貢期的規定

典據：明實錄、大明會典、皇明外夷朝貢考。

國名	貢期
安南	三年一貢
占城	三年一貢
朝鮮	一年數貢
琉球	二年一貢（曾一度一年一貢）
日本	十年一貢
眞臘	不一定
暹羅	三年一貢
爪哇	三年一貢

九年五月，詔諭中書省官員謂：諸夷限山隔海，若朝貢無節，實有勞遠人，非所以綏輯他們。去年安南來貢時，已諭以古禮，或三年，或世見。今乃復遣使至，實無甚意義。其更以朕意誠諭番夷外國，當守常制，三年一貢，無更煩數。來朝使臣，亦惟三五人而止。奉貢之物，不必過厚，存其誠敬即可㉗。

如據《明實錄》、《大明會典》、《皇明外夷朝貢考》等書的記載，則明廷所定諸外國的貢期如表二。

如衆所周知，太祖在其治世之末年定十五個不征國㉘，且與姦詐諸國斷絕往來，終於止許琉球、暹羅、眞臘入貢㉙。然當成祖即位以後，卻立刻詔諭四鄰各國，又遣鄭和通西洋，依洪武初制，在寧波、泉州、廣東設市舶司。永樂三年九月，因來貢諸國增加，乃命上述三市舶司分別設來遠、安遠、懷遠三驛，以爲館穀貢使之需，而對交通海外表示其積極態度㉚。然自宣宗以後，因事關國家財政，時有節約諸國入貢經費之議，遂逐漸

表三、對國王、王妃之賞賜與回賜 典據：明實錄、大明會典、皇明外夷朝貢考。

	賞賜國王	賞賜王妃	回賜國王	回賜王妃
暹羅	洪武間，賜大統曆、織金紵絲、紗、羅等物。永樂十五年，給錦四匹，紵絲紗、羅各十匹。宣德年間以後俱照此例。	永樂十五年，給紵絲、紗、羅各六匹，內各織金二匹。宣德年間各減半，以後俱照此例。		
琉球	洪武十六年，賜鍍金銀印并文綺等物，山南、山北王亦如之。後賜中山王、山南王、山北王紵絲、紗羅、冠服。	紵絲、羅。	錦二段，紵絲四匹，紗四匹。	錦二段，紵絲四匹，紗四匹。
日本	永樂間，賜冠服、紵絲、紗、羅、金、銀、古器、書畫		宣德十年，紵絲二十表裏、紗、羅各八匹，錦二匹，銀二百兩，以後俱照此例。	宣德十年，銀一百兩，以後俱照此例。成化二十年，紵絲十表裏，紗、羅各八匹，錦二段。特賜銀一百兩，以後俱照此例。

表四、對使節之賞賜

典據：大明會典、皇明外夷朝貢考。

	暹羅	琉球	日本
正副使（正議大夫、長史、使者、王姪、王相、寨公、王舅）	初到，每人賞織金羅一套，靴、各一雙。未經冠帶者給與紗帽、素金帶。其先曾到京者，素金帶換給鈒金帶。 正賞：紵絲、紗、羅各四匹、折鈔絹二匹，織金紵絲衣一套。	綵段二表裏，折鈔絹布二匹。 絹公服， 綵段四表裏，羅四匹，紗帽一頂，鈒花金帶一條，織金紵衣一套，靴、韈各一雙。	初到，每人賞織金襴袈裟一領，鍍金銀鉤環，金羅直裰一件，羅偏衫一件。 正賞：紵絲二匹，鈔、羅各二匹，絹六匹，銅錢一萬文。
居座			初到，每人賞素羅袈裟一領，銀鉤環，金羅直裰一件，羅偏衫一件。 正賞：紵絲、紗、羅各一匹，絹四匹，銅錢八千文。
土官			初到，每人賞金羅衣一套。 正賞：紵絲、紗、羅各一匹，絹四匹，銅錢八千文。

從僧			初到，每人賞素羅袈裟一領，銀鉤環，金羅直裰一件，羅偏衫一件。 正賞：紵絲一匹、絹二匹，銅錢五千文。
通事、幹辦人員	初到，每人賞素羅衣一套，靴、韈各一雙。未經冠帶者給與紗帽、素銀帶。 甚先曾到京，已經冠帶者，素銀帶換鈒花銀帶。 正賞：紵絲、羅各二匹，折銀絹一匹，素紵絲衣一套。	綵段一表裏，鈔紗布一匹。	初到，每人賞素羅衣一套。 正賞：紵絲一匹，絹二匹，銅錢五千文。
番伴	初到，人賞絹衣一套、靴、各一雙。 正賞：折鈔綿布二疋，胖襖袴鞋各一件雙。	每人賞折鈔綿布二匹。	初到，每人賞絹衣一套。 正賞：絹一匹，布一匹，靴、各一雙
釋館)廣	頭目人等，每人賞素紵衣一套，紵絲、羅各二匹。 客人，每人賞紵絲絹衣一套，紵絲		存留看船通事、水夫、從人，俱照到京通事、水夫、從人賞例。 數內居座一名，審係俗有職官員，

東、福建、浙江（人員	一匹。番伴人等，每人賞鈔綿布一匹，胖襖、鞋各一雙。	存留使者、通事、從人賞例，與到京者同。	官給與織金羅衣一套。土官四名係僧人，照從僧例，每人給與袈裟一領，銀鈎環，金羅直裰一件，羅褊衫一件。前項銅錢，本部請勅差官一員往南京該庫開支。如有不敷，於浙江布政司庫貯銅錢內支給。
	使臣等進到貨物，例不抽分，給與價鈔。	正賞：例不給價。附來貨物，官抽五分，買五分。	正賞：例不給價。正副使自進，並官收買。附來物貨，俱給價。不堪者，令自貿易。

實施各種限制。那些限制包括船隻、貢期、犒賞，及對國王、王妃、使臣之各種賞賜物品，廪給、口糧，附搭物品的官方貿易數目的減少或限制等㊂。有關此一方面的限制，筆者已在明代中日關係一書中提及，故不擬重述。在此僅言明廷對琉球國王、王妃及其貢使之賞賜。

《大明會典》，卷一〇五，及《皇明外夷朝貢考》，卷下〈外國賞例〉，收錄明廷對四夷君長與其貢使一行的賞賜內容。由此可知，明對各國國王與其貢使的賞例互不相同。茲不辭覼縷，將有關暹羅、琉球、日本三國者表列如表三、表四，以明其概。

當比較上舉賞賜暹羅、琉球、日本三國之物品時，可知其內容與數量均異。例如：國王之獲賜金銀、古器、書畫，及王紀之獲賜銀兩者只有日本一國。就其他物品而言，賜與日本者也較其他兩國爲多而琉球最少。附搭物件則暹羅、日本有給價而不抽分，琉球則「官抽五分，買五分」，這值得我們注意。至於只對日本貢使支給架裟的原因，在於其正、副使以下的人員中有僧侶。而日本的主要幹部之能獲銅錢賞賜，亦爲其他國家使節所無。琉球兩年一貢而其所獲賞賜之遠不如日本之優渥，當與它所獲印章之爲鍍金銀印的情形一樣，或許在明廷眼中，其在當時的國際地位之重要性不如日本吧！

有關明代中、琉兩國的貿易品，及其使節在華期間之館穀等問題，小葉田淳教授在其《中世南島通交貿易史研究》中已有詳盡的論述，而筆者在《明代中日關係研究》一書中亦已提及，故在此僅就《大明會典》，卷一一三，〈禮部〉七，〈給賜番夷通例〉所見明廷在弘治年間（一四八八—一五〇五）所規定各種番貨之價格來看其對琉球之給價情形。

由表五可知，即使爲同一貨品，卻因國家之不同而價格有異。例如：蘇木之定價爲每斤五百文，卻給琉球十貫，暹羅則爲五貫而差異極大。胡椒則定價每斤三貫，支給琉球者高達三十貫，暹羅二十五貫，滿剌加二十貫。這種給價方面的差異值得注意。在上舉八十四種貨品中，琉球享有優厚收購價格的僅有錫、蘇木、胡椒三種；滿剌加爲没藥、烏木、胡椒；暹羅則爲象牙、荳蔻、大楓子、乳香、降眞香、黃熟香、丁皮、蘇木、烏木、胡椒等十種。而上舉三個國家所共同享有的特價物品中，琉球所得的高居首位，此亦爲不得不留意的地方。至於明廷之採取這種措施，是基於其品質好，抑或受其他因素的影響，猶可待研究。

表五、四夷附搭物件給價表

典據：大明會典

品名	單位	價格	備註
赤金	每兩	鈔五〇貫	
足色銀	每兩	一五貫	
錫	每斤	五〇〇文	琉球八貫
鐵	每斤	三〇〇文	
腰刀	每把	三貫	
番弓	每張	二貫	
番箭	每枝	一〇〇文	
鶴頂	每箇	一貫	
玳瑁盒	每箇	一貫	
玳瑁盂	每箇	一貫	
珊瑚枝	每斤	三〇貫	
珊瑚珠	每兩	二貫	
大玻璃瓶	每箇	三貫	
大玻璃瓶	每箇	二貫	
玻璃燈甌	每箇	二貫	
粟米珠	每兩	五貫	
象牙	每斤	五〇〇文	暹羅一〇貫
翠毛	每斤	三〇〇文	
古剌水	大合	一貫	
古剌水	小合	五〇〇文	
回回石青	每張	一貫	
烏爹泥	每枝	五〇〇文	
油血石	每箇	二貫	
番砂	每斤	二〇〇文	
膽礬	每斤	二貫	
妥剔牙	每斤	一貫	
黃蠟	每斤	五〇〇文	
雄黃	每斤	五〇〇文	
阿魏	每斤	二貫	
蓽茇	每斤	二貫	
没藥	每斤	五貫	滿剌加一〇貫
肉荳蔻	每斤	五〇〇文	暹羅白荳蔻一〇貫
荳蔻花	每斤	五〇〇文	
蓽澄茄	每斤	一貫	
悶蟲藥	每斤	二〇〇文	
大楓子	每斤	一〇〇文	暹羅一〇貫
木鱉子	每斤	三〇〇文	
血竭	每斤	一五貫	
龍涎	每兩	三貫	
蘇合油	每斤	三貫	

品位	單位	價格	備註
乳香	每斤	五貫	暹羅四〇貫
沈香	每斤	三貫	
速香	每斤	二貫	
丁香	每斤	一貫	
木香	每斤	三貫	
金銀香	每斤	五〇〇文	
降眞香	每斤	五〇〇文	暹羅一〇貫
黃熟香	每斤	一貫	暹羅一〇貫
安息香	每斤	五〇〇文	
梔子花	每斤	一貫	
丁皮	每斤	五〇〇文	暹羅二貫
蘇木	每斤	五〇〇文	琉球一〇貫・暹羅五貫
烏木	每斤	五〇〇文	暹羅，滿剌加俱四〇貫
紫檀木	每斤	五〇〇文	
胡椒	每斤	三貫	琉球三〇貫，暹羅二五貫，滿剌加二〇貫
鹽	每斤	一〇〇文	
藤竭裏裏	每斤	一貫	
夕牙吸苔納	每斤	五〇〇文	
八的阿納	每斤	四〇〇文	
三額阿剌必	每斤	五〇〇文	
別模剌	每斤	五〇〇文	
厥枯露	每斤	二〇〇文	

品名	單位	價格	備註
加定	每斤	五〇〇文	
哈都味思	每斤	五〇〇文	
阿思模達塗兒氣	每斤	五〇〇文	
蘇麻達	每斤	二〇〇文	
花氈單	每條	一〇貫	
大花手巾	每條	二貫	
小花手巾	每條	一貫	
絲手巾	每條	二貫	
紅文節知被	每條	十五貫	
苾布	每段	一〇貫	
撒哈剌	每段	一貫五〇〇文	
兜羅布	每段	一貫五〇〇文	
油紅布	每段		
青布	每段	一貫	
花布	每段	一貫	
暗花打布	每段	一貫	
沙連布	每段	一貫	
青查禮布	每段	一貫	
加龍宣布	每段	一貫	
烏連布	每段	一貫	
勿那朱布	每段	一貫	
各樣[illegible]布	每段	一貫	

五、貢使引發的問題

貢舶貿易乃明朝用以「懷柔遠人」的對外政策，其所以允許貢舶，在於「天朝」對「四夷」示恩而施惠，不以其收入爲利。因此，用賞賜方式來補償其貢品而不付貨款。明廷視所有來貢之人員爲使節，予以隆重接待，並支給廩給、口糧及其他㉝。來貢人員不僅能利用外交使節之特權，而且在交易上也獲暴利。此事可由禮部尚書李至剛之奏疏㉞，及曾以日本外官身分來華的楠葉西忍之言㉟看出其端倪來。也正因爲他們能獲鉅利，故常引發各種問題，使明廷頭痛不已。

就琉球而言，它屢爲爭取更多利益而曾經一再向明廷提出請求，將憲宗因其使節有不法行爲，而於成化十年（一四七四）將其貢期定爲兩年一貢者復爲一年一貢，或一年數貢㊱。《憲宗實錄》，卷二〇二，成化十六年四月辛亥朔辛酉條云：

> 琉球國中山王尚真奏：臣伏讀祖訓條章，許臣國不時朝貢。故自臣祖父（尚德）以來，皆一年一貢。邇年巡撫福建大臣以臣國使有違法規制者，令臣二年一貢，此誠臣之罪也。……乞仍舊例。上不允。及其使臣馬怡世陛辭，仍賜尚真勅曰：曩因爾國使臣入貢，往往假以饋送爲名，汙我中國臣工，其實以爲己利。又不能箝束傔從，以致殺人縱火，強劫民財；又私造違禁衣服等物，俱有顯跡，故定爲二年一貢之制。朝廷富有萬方，豈爲爾一小國而裁省冗費哉？此例既定，難再紛更。特茲省諭，王其審之㊲！

憲宗雖明白曉諭所以欲定該國二年一貢之理由，但尚眞不僅不服憲宗旨意，竟復乞不時進貢而呈稱「以小事大，如子事父。」㊲因此，禮部乃奏稱「其意實假進貢以規（窺）市販之利，宜不聽其所請。」㊳於是憲宗勅諭曰：

朝廷定爾國二年一貢之例，事已具前勅，茲不再言。但臣之事君，遵君之勅可也，屢違勅奏擾，可乎？子之事父，奉父之命可也，屢方命陳瀆，可乎？所以固拒者非爲惜費，蓋二年一貢正合中制。朕所以卹小之意實在此。王其欽遵之，毋事紛更㊴。

或許此事惱怒了禮部，所以乃向憲宗奏稱該國進貢舊例，到京少則四五十人，多則六七十人，俱給賞，有差。近因各夷進貢率多姦弊，每國止許五七人，多不過十五人到京，餘俱留邊以俟。今福建以例止容正議大夫梁應等十五人赴京，既已給賞，餘六十七人俱留之布政司，宜發官帑以次均給，庶不減削太甚，致失柔遠之意。結果，獲憲宗之同意而實施㊵。

琉球貢使不僅在貢期方面有所要求，朝廷在支應其在華期間的館穀之需，也頗費周章。他們有時竟還藉口彼邦人力、物力有限，而要求中朝賜與海舟，以供其往來朝貢之需。

琉球國中山王尚巴志奏：本國自洪武（一三六八—九八）迄今，恭事朝廷，數荷列聖憫念，給賜海舟載運。近使者巴魯等貢方物赴京，舟爲海風所壞。緣小邦物料、工力俱少，不能成舟。乞賜一海舟，付巴魯等領回，以供往來朝貢。事下行在禮部。覆奏謂：即今節省冗費，以甦民力。若復造舟，不免勞擾軍民。上命福建三司，於見存海舟內擇一以賜。如無，則以其所壞

者，修葺與之。[四一]

此固爲英宗之治世所發生之事，但明廷之賜海舟給琉球，早在仁宗登極之時已有尚巴志王舅模古都等乞賜一舟歸國之例[四二]。就日本而言，如以子璞周瑋來貢爲例，則周瑋雖爲其附搭物件的給價問題與禮部交涉，然在成化二十一年（一四八五）二月十五日的憲宗詔書謂：

其進貢并附搭物件，禮部奏請以後不許過多，只照宣德年間事例，各様刀劍不過三十（千）把。[四三]

景泰五年的別幅則謂：

進貢方物，毋得濫將硫黃一概報作附把之數。其正貢硫黃，亦不得過三萬斤。及差來人員，務要擇其端謹，識達大體，執守禮法者前來。[四四]

由上舉史料，便不難推知明朝當局曾爲供億貢使所須龐大經費，與貢使附搭物件數目之多而頭痛過。貢使的暴行，也是使明廷頭痛的原因之一，此種事情在其開始入貢後不久的成祖永樂十三年即已發生。《太宗實錄》，卷一七〇，同年十一月甲午朔己酉條云：

琉球國中山王尚思紹所遣使臣直佳魯，犯法坐誅。遣使賫勅諭思紹曰：比王所遣直佳魯等來京，朕優待之。及還至福建，乃肆狂悖，擅奪海舡，殺死官軍，毆傷中官，奪其衣物。直佳魯首罪，當真（寘）大辟，命法司如律。其阿勃馬結制等六十七人，與之同惡，罪亦當死。春（眷）王忠誠，特遣歸，俾王自治。自今遣使，宜戒約之，毋犯朝憲。

《球陽》，卷二，尚思紹王三十一年〈明成祖寬使臣不謹之罪特以遣歸〉條並紀此事。《皇明經世文編》（明崇禎刊本），卷二四，〈孫司馬奏議〉〈邊務〉亦紀該國使臣之不法行爲云：

> 緣路有司，出車載送，多至百餘輛。男丁不足，役及女婦。所至之處，勢如風火。叱辱驛官，鞭打民夫。甚且殺人放火，或展轉不行。待以禮而不加恤，加以恩而不知感。惟肆貪饕，略無忌憚。官民以爲朝廷方招懷遠人，無敢與較。其爲騷擾，不可勝言。

此言他們爲謀自己利益而不把明朝職官放在眼裏，恣意暴行，使民衆敢怒而不敢言。當然並非只有琉球使臣如此，日本貢使亦有類似情形發生。

> 日本國使臣（東洋）允澎等，已蒙重賞，展轉不行。待以禮，不知恤；加以恩，不知感，惟肆貪饕，略無忌憚。沿途則擾害軍民，毆打職官，在館則捶楚館夫，不遵禁約㊺。

此乃禮部奏彼輩在臨清的暴行情形。其堯夫壽蓂一行來貢時，則於上京途次，在濟寧強買貨物，與居民發生爭執而彼此殺傷。因此，府照磨童釗，指揮魏政，提舉王瑠，均被科以應得之罪，通事林春則發配充軍㊻。至於在嘉靖二年（一五二三），因其大內、細川兩造貢使互爭眞僞而引起的寧波事件，更是驚動一時㊼。

當然由貢使引起的問題並非僅存在於各國貢使之間，也存在於中國內部，例如：當日本貢使策彥周良在嘉靖二十七年三月十七日住進寧波嘉賓館時，知府曾於四月十三日致紙牌於該館守衛云：

> 所爲慎門禁者非他，防境內奸細包攬誆詐耳。除違禁貨物照例禁約外，其一應服飾、器用之

類，俱許兩平交易。敢有妄持意見，過爲阻抑者，定究不恕[48]。

此乃告以爲防中國牙行、商人之誆詐而愼門禁者。當時甫就巡撫之職的朱紈亦云：

臣體得地方積弊，當年入貢夷人隨帶貨物。有等姦民指以交易爲由，駈騙推延，往往貢畢京回，守候物價，累年不得歸國。官司苟且避事，佯爲不知，其寔不能禁遏。奸人因此肆志，夷人無處申鳴。內傷國體，外起侮心，非一朝一夕之故。[49]

因此，朱紈乃上奏應把信票——證件交與牙行、商人，如無信票而參與交易，就科以通番之罪。交易時，使節向官衙申告，職官檢查信票後准其買賣，免抽其稅。至於牙行、商人之所以能夠作奸犯科，應與市舶司職官之是否奉公執法，公正廉明有密切關係。

六、結　語

以上係就明代中、琉兩國使節之身分，雙方封、貢關係之建立，明廷對琉球之賞賜，以及由貢使所引起之問題作一概略性的考察。我們從而推知，明廷賜予琉球的鍍金銀印雖不及賜予日、朝兩國者貴重；明廷派往該國的使節之身分地位也不如派往日本者高，卻因它對明朝的態度忠實誠懇，故可與朝鮮一樣來華時不需勘合，而明廷對其附搭物件的收購價格也較他國爲高。當然明之限制琉球貢期，除上述該國使節在華之不法行爲外，與明朝本身之財政日絀不無關聯。因爲限制四鄰各國入貢之議，自宣宗宣德年間以後即已甚囂塵上，而宣德十年（一四三五）行在禮部尚書胡濙所謂「四夷使臣動以百數，沿途疲以供給。」[50]或英宗正統四年（一四三九）八月，巡按福建監察御史成規所謂：

琉球國往來使臣，俱於福州停住，館穀之需，所費不貲。比者通事林惠、鄭長所帶番梢人從二百餘人，除日給廩米之外，其茶、鹽、醯、醬等物出於里甲，相沿已有常例。乃故行刁蹬，勒折銅錢。及今未半年，已用銅錢七十九萬六千九百有餘，按數取足。稍或稽緩，輒肆詈毆。雖蠻夷之人不足與較，而憑陵之風漸不可長。已行福州等府縣，止將例該供給之物按日支與，不許私與銅錢准當。但煩瑣多端，終非久計。乞令該部定議，於人支日廩之外，量加少許，聽令自辦。其林惠等不能禁戢，坐視紛紜，請執治之，以肅夷情[51]。

即是說明這一點。

琉球朝貢明朝期間，容或有過貢期的爭執，或其貢使有過不法行爲，或可能受當時東亞國際情勢之影響，致使彼此之間的來往有時比較疏遠，卻始終無礙於維持兩國之間的友好關係。

【註　釋】

㊀《太祖實錄》（本文所引用之《明實錄》爲中央研究院歷史語言研究所影印本），卷七一，洪武五年正月乙酉朔甲子條；卷七七，同年十二月甲戌朔壬寅條。伊波普猷等編，《琉球史科叢書》（昭和三十七年，東京，井上書房）第四，《中山世譜》，卷三，〈察度王〉，洪武五年壬子條。球陽研究會編，《球陽》（《沖繩文化史科集成》，五。東京，角川書店），卷一，察度王二十三年，〈明太祖遣使招

撫，王始投誠納款以通中國〉條。

㈡ 請參看小葉田淳，《中世南島通交貿易史の研究》（昭和四十三年，東京，刀江書院）。

㈢ 《球陽》，卷一，察度王二十三年條云：「（明）太祖改瑠求字曰琉球。」《中山世譜》，卷三，〈察度王〉，洪武五年壬子條並見此事。

㈣ 三國谷宏，〈明と琉球との關係について〉（《東洋史研究》，三卷三號）。

㈤ 《中山世譜》，卷六，〈尚眞王〉，〈成化十五年己亥本年秋〉條所載表文。請參看《東恩納寛惇全集》，第二冊（昭和五十三年，東京，第一書房），七三頁。

㈥ 《太祖實錄》，卷一五一，洪武十六年正月乙巳朔丁未條。《中山世譜》，卷三，〈察度王〉，洪武十六年癸亥條。《球陽》，卷一，察度王三十四年條。

㈦ 《太祖實錄》，卷一七〇，洪武十八年正月癸亥朔丁卯條云：「賜琉球國朝貢使者文綺、紗、羅，及以駝紐鍍金銀印二賜山南王承察度，山北王帕尼芝。又賜中山王察度，山南王承察度海舟各一。」《中山世譜》，卷三，〈察度王〉，洪武十八年乙丑條，及《球陽》，卷一，察度王三十六年條並見此事。

㈧ 《太宗實錄》，卷三〇，永樂二年四月辛未朔壬午條。《中山世譜》，卷三，〈武寧王〉，永樂二年四月條。《球陽》，卷一，武寧王九年條。

㈨ 《太宗實錄》，卷一六二，永樂十三年三月己亥朔丁巳條。《中山世譜》，卷四，〈尚思紹王〉，永樂十三年乙未條。《球陽》，卷二，尚思紹王九年條。

⑩《太宗實錄》，卷一六四，永樂十三年五月丁酉朔己酉條。《中山世譜》，卷四，〈尚思紹王〉，永樂十三年乙未條。《球陽》，卷二，尚思紹王十三年條。

⑪《中山世譜》，卷四，〈尚思紹王〉，永樂十四年丙申條。《球陽》，卷二，尚思紹王十一年，尚巴志王八年條。請參看注四所舉三國谷宏之論文。

⑫《球陽》，卷三，尚宣威王即位元年（明成化十三年丁酉）條云：「尚宣威以尚眞幼沖之故權登大位。是年二月，陽神君手魔出現。□尚宣威以爲慶賀之禮，而照例穿衣冠坐于王位。尚眞侍坐其側。舊例：國君即位，君君諸神作賀，必自內殿出至奉神門後東面而立，奈何此日皆西面而立，與舊例異。滿朝臣士驚疑無措。頃間諸神有詫（託），宣以世子尚眞爲君□。尚宣威聞詫（託）言，謂諸臣曰：尚眞雖幼沖，誠是命世之眞主也。爾等宜同心輔翼，以保邦家。我非其命，雖強踐大位，恐有戾于天。遂奉尚眞爲君。而在位六個月，退隱于越來也。」

⑬請參看稻村賢敷，《琉球諸島における倭寇史跡の研究》（昭和三十二年，東京，吉川弘文館）。

⑭George. H. Keer，《琉球の歴史》（一九五六年，那霸，琉球列島米國民政府），一〇八頁。

⑮《世宗實錄》未紀遣使往封事，只於卷五一〇，嘉靖四十一年六月癸丑朔條謂：「琉球國中山王尚元，遣其舅源德等入貢謝恩，宴賚如例。」而已。《中山世譜》，卷七，〈尚元王〉，嘉靖四十一年壬戌條，及《球陽》，卷四，〈尚元王七年條則均紀冊封使郭汝霖等至彼邦京城事〉。

⑯請參看山本美越乃，《沖繩一千年史》。

(一七) 山本美越乃，〈誤れる植民地政策下の畸形兒琉球の慶長役以前〉（《經濟論叢》，二十三卷四號）。

(一八) 請參看註一三所舉書。有關福建移民三十六姓之事雖見於琉球史乘，且常有人提及，但均未能將他們全部舉出。竊以爲此「三十六」應是言其多，並非指當時移民之姓氏共有三十六。因三十六乃三的倍數，而三是代表多啊。如：三令五申，十八般武藝，三十六計走爲上計，齊天大聖七十二變等即是好例。

(一九) 同註一四。

(二〇) 同前。

(二一) 鄭樑生《明・日關係史の研究》（昭和六十年，東京，雄山閣），四五五頁；《明代中日關係研究》（民國七十四年，臺北，文史哲出版社），五三四頁。請參看丹石，《一個清宮太監的遭遇》（一九八九年，北京，臺聲出版社）。

(二二) 黃本驥，《歷代職官表》（民國六十二年，臺北，史學出版社），一五三頁。宮崎市定，《內官》（昭和三十六年，東京，平凡社）。

(二三) 請參看鄭樑生，《明・日關係史の研究》一七八～一八三頁，或《明代中日關係研究》，二〇三～二一三頁。

(二四) 同前。如據《清實錄》、《球陽》、《中山世譜》等史乘的記載，則滿清入主中原以後，清廷所遣八次冊封使中，除順治十一年的正使張學禮爲兵科副理事官外，其餘都是翰林院的侍講、檢討、編輯、修撰，副使則除前舉王垓爲行人外，其他俱爲翰林院的編修、編輯或工科給事中，他們的地位實較有明一代所遣者爲高。

㉕ 請參看《球陽》，卷一，武寧王九年〈暹羅船至國〉，及附〈始建親見世御物城〉條。

㉖ 《太祖實錄》，卷八九，洪武七年三月甲申朔癸巳條。

㉗ 《太祖實錄》，卷一〇六，洪武九年五月甲寅朔條。

㉘ 請參看，明太祖勅撰，《皇明祖訓》（明洪武間內府刊本），及石原道博，〈日明交涉の開始と不征國日本の成立—明代の日本觀〉（《茨城大學文理學部紀要》，人文科學，五）。

㉙ 《太祖實錄》，卷二三一，洪武二十七年五月辛丑朔甲寅條。

㉚ 《太宗實錄》，卷四六，永樂三年九月癸巳朔甲午條。

㉛ 請參看《英宗實錄》，卷三，宣德十年三月癸巳朔丁酉；卷二三六，景泰四年十二月癸未朔甲申；《憲宗實錄》，卷七八，成化六年四月己丑朔乙丑，卷一四〇，成化十一年四月己酉朔戊子，卷二二〇，成化十七年十月壬寅朔癸卯，卷二二六，成化十八年四月己亥朔甲子；《孝宗實錄》，卷三七，弘治三年四月癸未朔癸卯；《世宗實錄》，卷一四，嘉靖元年五月丙午朔戊午，卷八〇，嘉靖六年九月乙亥朔丙戌，卷二二七，嘉靖十八年閏七月丙申朔甲申，卷二三四，嘉靖十九年二月甲子朔丙戌，卷二九八，嘉靖二十四年四月癸巳朔辛酉，卷三三〇，嘉靖二十六年十一月戊寅朔丁酉，卷三三七，嘉靖二十七年六月甲辰朔戊申，卷三四九，嘉靖二十八年六月己亥朔甲寅等條，及《鄭樑生，明・日關係史の研究》，六七～六八頁，《明代中日關係研究》，七五頁。

㉒ 請參看《大明會典》（明司禮監刊本），卷一一五，〈膳羞〉二，〈下程〉，〈番夷土官使臣下程〉條所載〈常例下程〉，及同書卷一四五，〈驛傳〉。

㉓ 《太宗實錄》，卷二三，永樂元年九月丙子朔己亥條云：「禮部尚書李至剛奏：日本國遣使入貢，已至寧波府。凡番使入中國，不得私載兵器刀槊之類鬻於民，具其（有）禁令，宜命有司會檢。番舶中有兵器刀槊之類，籍封送京師。上曰：外夷向慕中國，來修職貢。危踏（蹈）海波，跋涉萬里。道路既遠，貲費亦多。其各有賫，以助路費，亦人情也，豈當一切拘之禁令？至剛復奏：刀槊之類，在民間不許私有。則亦無所鬻，惟當籍封送官。上曰：無所鬻，則官爲準中國之直市之，毋拘法禁，以失朝廷寬大之意，且阻遠人歸慕之心。」

㉔ 尋尊，《大乘院寺社雜事記》，文明十五年正月二十四日條錄楠葉西忍之言云：「攜往中國的貨物，如有錢百貫，就應帶十種。因時節不同，所須物品亦有異。有時一物可獲十倍，二十倍之利益。」同書永正二年四月四日條亦載西忍之言云：「一、在中國所得的貨款：於北都王城把本錢十文的貨品，以一貫出售。以此一貫所購的貨物，在南都以二貫出售。以此二貫在南都所購物品，在明州以三貫出售。又以此三貫購蠶絲回日本，有利也。」由此可知，來華貢舶可獲龐大利益。

㉕ 請參看《球陽》，卷三，尚圓王三年〈憲宗命定二年一貢〉條。

㉖ 請參看《球陽》，卷三，尚圓王二年〈貢使錦衣沒入內庫〉條；三年〈憲宗命定二年一貢〉條。

㉗ 《憲宗實錄》，卷二二六，成化十八年四月己亥朔癸丑條。

㊳ 同前。

㊴ 同前。

㊵ 《憲宗實錄》，卷二二六，成化十八年四月己亥朔壬子條。《球陽》，卷三，尚眞王五年〈始定貢使人數〉條。如據《皇明寶訓》、《明實錄》、《球陽》等文獻的記載，則在憲宗以後，琉球也曾於弘治三年（一四九〇）三月，向明廷奏稱該國來貢人員，近止許二十五人赴京。物多人少，恐有疏失，宜增五人，以順其請。並謂其國貢船抵岸，所在有司止給口糧百五十名，其餘多未得給，亦宜增二十名，而獲孝宗賜准。迄至正德元年（一五〇六），明廷雖聽從該國多年之請願，許其每歲一貢，然至嘉靖元年（一五二二），卻又勅其王尚眞二年一貢，每船不過百五十人，仍命福建巡按御史查勘放驗的。

㊶ 《英宗實錄》，卷五七，正統四年七月丁未朔甲戌條。

㊷ 請參看《球陽》，卷二，尚巴志王四年〈王舅模都古等乞賜一舟歸國〉條。

㊸ 瑞溪周鳳，《善鄰國寶記》（續群書類從本），成化二十一年二月十五日〈大明書〉。

㊹ 瑞溪周鳳，《善鄰國寶記》，景泰五年二月〈大明書別幅〉。

㊺ 《英宗實錄》，卷二三八，景泰五年二月壬午朔乙巳條。

㊻ 《孝宗實錄》，卷一一六，弘治九年八月乙亥朔庚辰條。鄭若曾，《籌海圖編》，卷二，〈倭奴朝貢事略〉，嘉靖二年條。有關夷使在華期間之不法行爲，請參看《皇明寶訓》〈憲宗寶訓〉，卷三，〈馭夷狄〉條。

㊼ 有關寧波事件的發生及其處理經過，請參看《世宗實錄》，卷二八，嘉靖二年六月庚子朔甲寅、戊辰；卷三三，同年十一月丁卯朔癸巳；卷五〇，嘉靖四年四月庚寅朔癸卯；卷五二，同年六月己丑朔己亥；卷八〇，嘉靖六年九月乙亥朔丙戌等條。夏言，《桂州奏議》（明嘉靖間刊本），卷二，〈請勘處倭寇事情疏〉。嚴從簡，《殊域周咨錄》（明萬曆間刊本），卷二，〈日本〉。張翀，〈杜校夷以安中土疏〉（收錄於孫旬編，《兩朝疏鈔》萬曆間刊本，卷五七，〈邊防〉，四）。鄭舜功，《日本一鑑》（民國二十八年據舊鈔本影印本）〈窮河話海〉，卷八，〈評議〉。鄭若曾，《籌海國編》，卷二，〈倭奴朝貢事略〉，嘉靖二年條。

㊽ 策彥周良，《再渡集》（續群書類從本），嘉靖二十七年三月十七日，同年四月十三日條。

㊾ 朱紈，《朱中丞甓餘集》，（《皇明經文編》，卷二〇五。明崇禎刊本），卷一，〈海洋賊船出沒事疏〉。

㊿ 《英宗實錄》，卷三，宣德十年三月癸酉朔丁酉條。

(51) 《英宗實錄》，卷五八，正統四年八月丙子朔庚寅條。

唐大和尚東征傳

——中國佛教東傳的一幕——

摩騰遊漢闕，僧會入吴宮；豈若真和上㈠，含章渡海東！禪林戒綱密，慧苑覺華豐；欲識玄津路，緇門得妙工。

一、前　言

這一首五言詩，是日本奈良時代（七一〇～七八四）的大文豪淡海三船（七二一～七八四）爲讚譽唐僧鑑眞而作的，可能是日本天平勝寶六年（唐玄宗天寶十三年．七五四）春的作品。鑑眞之決意東渡日本，是在唐玄宗天寶元年（日本天平十四年．七四二）十月，他五十五歲的時候；而他歷盡艱辛抵達東瀛，是天寶十二年（日本天平勝寶五年．七五三），當時他已六十六歲了。鑑眞前往日本傳戒，竟犧牲其十餘年的寶貴光陰，並招致雙目失明，而毫無悔意。所以淡海三船在詩中稱頌他，就連將佛法傳至中國的摩騰與僧會二人也不如他。日本人安藤更生說：

惟有生於大陸、長於大陸的人，方才具有堅強的意志。在一千二百年以前，由一位唐僧把中華文化移植到日本，並使它開花結果的事實，乃是我們每一個人都該知道的事情。日本文化的恩人鑑真大和尚，其名在日本雖是盡人皆知，但明白其行實的人卻寥寥無幾。即使現代學者的撰述，也難得有出《東征傳》之右者。無論相信《東征傳》或懷疑《東征傳》，他們都止於閱讀它而不擬更進一步的探討其史料，這實乃不可思議之事。

所謂《東征傳》，就是淡海三船根據鑑眞之及門弟子思託所著的《大唐傳戒師僧名記大和尚鑑眞傳》，而用中文寫成的，其全名是《唐大和上東征傳》，署名眞人元開。只因思託的著作早已散佚不全，所以鑑眞和上的事跡，淡海的著作該算是目前最可靠的資料了。此書收於《中華大藏經》、《群書類從》、《大正大藏經》、《大日本佛教全書》。安藤更生著有《鑑眞研究》及《鑑眞》二書，高楠順次郎則譯《東征傳》爲英文，載在河內《法國遠東學院學報》第二十八卷。宋僧慧洪覺范，曾批評《宋高僧傳》所收人物取舍不當。資料方面，贊宁所著佛書多本碑文，因而文體不一，繁簡亦不盡適宜。《鑑眞傳》可能依據梁肅所撰的〈過海和尚碑銘〉，但梁文已不傳。贊宁的佛書中把六次渡海并爲一次敘述，過於簡略；只保留一些神話式的描寫，看不出鑑眞東渡的決心和克服困難的精神。尤其是敘述鑑眞最後抵達日本的年代爲天寶二年，更是錯誤。

二、東渡以前的鑑真

鑑眞，俗姓淳于，是春秋時齊國人淳于髡之後，於則天武后垂拱四年（日本持統天皇二年・六八八）誕生在揚州。他的父親是一個虔誠的佛教徒，曾從揚州大雲寺的智滿禪師受戒學禪。他父親的信仰給了幼小的鑑眞深厚的影響，所以當他十四歲那年跟隨他父親到大雲寺參拜時，因見了佛像，使他小小的心靈受到很大的感動，就請求他父親允許他出家爲僧。《東征傳》說：

大和上，年十四，隨父入寺，見佛像，感動心；因請父，求出家。父奇其志，許焉。

《東征傳》又有這樣的記載：

大周則天長安元年（七〇一），有詔於天下諸州度僧。

所以鑑眞就拜智滿爲師，成沙彌，配住大雲寺。可是長安元年度僧之事，不見於中國的史乘。

唐中宗神龍元年（七〇五），鑑眞十八歲時，曾以光州的道岸禪師爲師，受菩薩戒。道岸爲越州龍興寺僧，當時被天下四百餘州仰爲「受戒之主」，也是中宗（七〇五～七〇九在位）的受戒之師。據說當時光州的律宗之所以興盛，乃由於道岸的力量；而鑑眞之所以致力研究律宗，可能受到他的影響。鑑眞自二十歲至二十六歲，曾遊學長安與洛陽，潛心探討律宗的奧秘。據《三國佛法傳通緣起》的記載，在中宗景龍二年（七〇八）三月末，他登長安實際寺的戒壇，以荆州南泉寺的弘景律師爲和尚，受「具足戒」，以長安薦福的道岸爲教授，長安荷恩寺的法藏等爲尊證師。除上述外，尚有長安總持寺儀，荆州楊溪寺俊，長安崇福寺禮，長安崇聖寺綱、聞、思、惠，長安荷恩寺法藏、圓，長安薦福寺恆、志等律師參加他受戒的儀式。他在長安遊學的這段時間裏，又曾接受碩學鴻儒的教導。他雖向弘景學天台，但其致力研究的卻是道宣律師的《四分律行事鈔》、《注羯磨》、《量處輕重儀》，與法礪的《四分律疏》。同時，他又分別從西京禪定寺的義威，及西明寺的遠智，洛陽佛授記寺的金修、慧策，學習《四分律疏》，並聽西京觀音寺大亮的法礪之講義的。

唐玄宗開元元年（七一三），當鑑眞二十六歲時，他登講座講授《律疏》，並且回到故鄉淮南，教導後進，便名噪一時了。《三國佛法傳通緣起》記載，鑑眞曾於三十一歲時開《行事鈔》及《輕重儀》的講座，於四十歲時講授《羯磨疏》。據說，他曾開戒律的講座多達一百三十回，建佛寺、造佛像無算。且曾製作袈裟三千件，捐給山西五臺山，及召開不分貴賤貧富的大集會，以從事救濟貧民病人的事業。他又曾抄寫佛經三萬三千卷，並使其得度或授戒的弟子多達四萬餘人。《東征傳》謂其弟子之「超群拔萃爲世之師範者」有：揚州崇福寺祥彥、潤州天鄉寺道金、西京安國寺璿光、潤州栖霞寺希瑜、揚州白塔寺法進、潤州西霞寺乾印、汴州相國寺神邕、潤州三昧寺法藏、江州大林寺志恩、洛州福先寺靈祐、揚州既濟寺明烈、西京安國寺明債、越州道樹寺璿眞、揚州興雲寺惠宗、天臺山國清寺法雲等十五人。

三、鑑眞在中國的社會地位

鑑眞東渡以前，其在社會上或佛教界上的地位，可從下列文獻中窺見其一班。《東征傳》云：

江淮之間，獨爲化主。

昔光州道岸律師命世挺生，天下四百餘州以爲受戒之主。岸律師遷化之後，其弟子杭州義威律師響振四遠，德流八紘，諸州亦以爲受戒師。義威律師無常之後，開元二十一年，時大和上年滿卌六，淮南江左淨持戒者，唯大和上獨秀无倫。道俗歸心，仰爲受戒大師。

日僧圓仁的《入唐求法巡禮行記》卷一云：

又於東塔院安置鑑真和尚素影。額題云：過海和尚素影。更中門內東端建過海和尚碑銘，其碑序記鑑真和尚爲佛法渡海之事。稱過海和尚過海遇惡風，初到蛇海，長數丈餘，行一日即盡。次至黑海，海色如墨等者。

《唐文粹》卷九二，崔恭撰〈唐右補闕梁肅文集序〉云：

作過海和尚碑銘、幽公碑銘。釋氏制作，無以抗敵。

梁肅曾於唐德宗建中（七八〇～七八三）初年，中文辭清麗科，被擢爲太子校書郎，後來曾擔任左拾遺，爲杜佑掌書記，而累遷至太子諸王之侍讀。可說是中唐第一流的碑文作者。他肯爲鑑眞作碑銘，便可見鑑眞在當時的地位不低。安藤更生以爲過海和尚碑可能被立在上述龍興寺中門內的東端。《唐國史補》云：

佛法自西土，故海東未之有也。天寶末，揚州僧鑑真往倭國，大演釋教，經黑海蛇山，其徒號過海和尚。

志磐撰《佛祖統記》卷四〇，法運撰《通塞志》第十七之七，開元十四年條云：

十四年，日本國沙門睿、普照，至揚州，奉國主命，以僧伽衣十領，施中國高行律師。鑑真受其衣，感外國有佛種，遂與睿等附舶而東。既至，王迎勞之，館於毘盧遮那殿，請其授歸戒，夫人、群臣以此禀受，日本律教始行於此。

宋朝祖琇所撰《隆興佛教編年通論》開元十四年條云：

日本國沙門榮叡等至揚州，奉僧伽衣十領，其上綴山川異物之狀。蓋其國王附之以施中國沙門。于時律師鑑真受其衣，嘆外國有佛種性，欲往化之，令叡、照等亦勸請。遂附舶而東，爲惡風飄入魚蛇等海，以真律行高，皆脫禍。既至日本，彼王預知，枉駕迎勞，館於毘盧舍那殿。未幾，鑑真授歸戒，夫人、群臣皆以此禀受。日本自是始有律教。

由上述可知，鑑眞在當時，其學行都堪稱爲佛門一世之師表，而其門下之俊秀，則形成了盛唐以後的江南律學中心。

四、鑑真被聘的理由

鑑眞是受日僧榮叡和普照的禮聘，前往日本傳布律宗的。他爲什麼會被聘呢？以往的日本歷史學家以爲當時的日本政府之所以聘請戒師，是因爲缺乏具備三師七證之完美僧侶，以致無法在其國內授戒。其實這種說法未必盡然。因爲日本自小野妹子以來，不論其遣唐使或留學僧，很多都曾西來好幾次。尤其像道慈（？～七四四）等對僧尼行儀很關切的和尚，也曾來華的。如果他們只爲此理由，則那些遣唐使或留學僧之中的某些人，早已把這件事辦妥了。所以就當榮叡，普照入唐之際方才聘請戒師而言，應考慮其中必有當時的特殊意義存在。因爲聘請戒師未必是當時的日本宗教界一致渴望著的，即在鑑眞東渡以後，也有許多僧侶以爲無須接受其「新渡之戒」啊！

那麼，日本爲什麼求戒師於唐呢？其中必有令人不得不加以揣度的政治意圖在內。佛教自中國經百濟東傳日本㊁初期的日本僧尼，也逐漸產生種種弊端。本來只有原始生產之神及自然神的這個國度的純樸的人們，在以自己的力量來深思或懷疑人生之前，就已接受產自複雜的社會之高度的宗教。它就如中國的金屬文明、文字，或朝鮮半島的陶器及玻璃，給他們生活種種方便似的，他們是用對大陸文明之天眞的憧憬與異國情緒來接受。因此對於沒有深刻的宗教要求或不習慣於哲學的瞑想之當時的日本人而言，也只不過像如來所說：「譬如人情隨意竇，逐所須用盡依情。」及「祈願依情無所乏」而已。由於他們的理解之不足所產生的行爲之矛盾，在佛教東傳後不久便暴露無遺了。因此在聖德太子（五七四～六二二）逝世之後的第三年——推古天皇（五九二～六二八在位）三十四年（六二四）四月，便曾發生僧侶執斧傷其祖父的慘劇。《日本書紀》（推古紀）云：

三十二年四月丙午朔戊申，有一僧毆祖父。……戊午，詔曰：夫道人尚犯法，何以誨俗人？故自今以後，任僧正、僧都，仍應檢校僧尼。壬戌，以觀勒僧爲僧正，以鞍部德積爲僧都，即日以阿曇進（闕名）爲德頭。……秋九月甲戌朔丙午，校寺及僧尼，具錄其所造之緣，亦僧尼入道之緣，及度之年月日。

從此以後，僧尼的行儀受到爲政者的注意了。

日本大化改新（六四五）的前一年，曾頒佛法興隆之詔，定十師，置法頭。天武十二年（六八四）初，則設僧綱之職，及任命僧正、僧都、律師。迄至大寶二年（七〇二），又於諸國派任國師。至此，其制度雖已逐漸完備，但寺院的作風卻與政府的方針背道而馳。和銅六年（七一三），近江守藤原武智麻呂（六〇八～七三七）曾報告其管區內各寺院的頹廢之狀，嘆息寺院之不事修法，唯利是圖。大化改新雖是以中國式的政治爲理想所作之政治改革，但善政卻未必給人民帶來幸福。其根據政府法令實施的班田之制，即使辦得非常完美，人民也僅能餬口而已。更何況其奸惡的國司之苛斂誅求，以及調庸物資的輸送之困難等，在在破壞了農民生活的安定，致使他們陷入貧乏的深淵。於是人民便不堪這種痛苦，乃流亡異鄉，或削髮投身寺院。他們之投身寺院，乃由於僧尼可以免除各種負擔之故。

日本靈龜元年（七一五），其中央政府雖曾命地方官禁止百姓流亡，但並未收效。非僅如此，一般人民反而競相出家，力謀獲得僧籍。可是當政者卻不知所以導致這種現象的原因，乃在於其律令本身的缺陷，與官吏的腐敗，而徒然發出種種禁令，有何效果呢？日本的律令政治係以租、庸、調爲基礎，其負有納稅義務的農民之不斷逃亡，實能使國家的根基發生動搖。這種現象對於當時的政治家而言，實爲不堪忍受之事；所以他們必須設法防止百姓流亡，嚴格取締百姓出家得度。他們整肅僧侶的工作，首先以獎勵方法使衆僧努力向上。養老二年（七一八）冬十月十日太政官曾告僧綱說：

智鑒冠時，衆所推讓，可爲法門之師範者，宜舉其人顯表高德，又有請益無倦，繼踵於師，材堪後進之領袖者，亦錄名牒舉而牒之。

同時也命僧綱勿使僧徒流浪，或任意入山築菴窟，或雜處市井乞食，並示以身爲僧尼者應遵行之道。《日本書紀》說，其政府於養老四年正月四日始授「公驗」給僧尼，並打算以此「公驗」，決定其人民之有無資格成爲僧尼。安藤更生推測，獻此方策的，很可能是剛從中國東歸的道慈（？～七四四）。

道慈於大寶元年（七〇一）隨遣唐使西來，在我國逗留十八年之久。他留華期間，曾精研《三論》，於養老二年十月，四十歲前後回到日本。道慈在我國時，當會看到唐朝約束寺院僧尼的方法。《唐會要》卷四七云：

開元二年正月，中書令姚崇奏：言自神龍已來，公主及外戚皆奏請度人，亦出私財造寺者。每一出敕，富戶強丁皆經營避役，遠近充滿，損污精藍。且佛不在外，近求於心，但發心慈悲，行事利益，使蒼生安樂，即是佛身，何用妄度姦人，令壞正法？上乃令有司精加詮擇。天下僧尼僞濫還俗者三萬餘人。

《舊唐書》〈姚崇傳〉也有類似的記載。道慈曾著《愚志》一卷，其中被《續日本紀》所錄的有下列數言：

今察日本素緇佛法軌模，全異大唐道俗傳聖教法則。若順經典，能獲國土；如違憲章，不利人民。一國佛法，萬家修善，何用虛設，可不慎乎？

道慈懷著這種意見回到日本，就在政府授公驗的前一年。所以當時的日本政府之歡迎此「禪門之秀」，而採納其授「公驗」給僧尼的建議，該是無庸置疑的。

可是這種政策也在預想不到的地方露出了破綻。當時，日本人出家爲僧的程序，是從別處推舉淨行的「優婆塞」，證明他具有讀經、誦經、誦咒的知識，並由推舉者出書證明他，迄至當時「經淨行」若干年後，方纔被許可。可是所推舉的未必都很公正，對於未具備這些條件的人也予以推荐了。養老四年（七二〇）八月所頒的〈詔書〉云：

授公驗僧尼多有濫吹，唯成學業者一十五，宜授公驗，自餘停之。

日本神龜元年（七二四）十月，治部省也曾作類似的報告。政府除取締僧尼的得度外，也致力於整肅寺院內部的風儀。養老四年十二月二十五日的〈紹書〉云：

比者或僧尼自出方法，妄作別音，遂使後生之輩積習成俗，不肯變正。恐汙法門，從是始乎！宜依漢沙門道榮、學問僧勝曉等，轉經唱禮，餘音並停之。

那時日本宗教界之腐敗，非僅被取締的僧尼如此，就是身負取締之責的僧綱亦復如此。由於僧綱不安於辦公室而四處出走，以致公務停滯，所以政府曾嚴厲告戒僧綱，命其肅正綱紀，使一向散處各寺的僧綱全集中在首都平城京（奈良）的藥師寺。說：

近在京僧尼，以淺識輕智，巧說罪福之因果，不練戒律，詐誘都裏之衆庶。內黷聖教，外虧皇猷，遂令人之妻子削髮刻膚，動稱佛法，輒離室家，無懲綱紀。或負經捧鉢，乞食街衢之間；或僞稱邪說，寄落於村邑之中，聚俗無常，妖訛成群，初似修道，終挾奸亂。永言其弊，特須禁斷。

由此禁令之嚴厲，便可知當時事態嚴重之一斑。因出家而導致百姓流亡，及僧尼行儀墮落，實使其當政者感到很大的困惑。至此，他們才發覺如要挽狂瀾於既倒，單憑一紙禁令，是無法收效的；必須以佛徒所信奉的釋迦之至高無上的道理來約束他們，才是治本的辦法。

就如許多學者所說，當時日本佛教界所實施的戒律並不正確。三師七證，因戒師之不足而沒有實行。所以佛徒雖自誓授戒，但那只是接受三聚淨戒而已。爲授予正式的具足戒，並取締浪跡天涯的佛徒，從唐朝迎接傑出的戒師，實乃端正並整肅其戒儀的捷徑。於是榮叡、普照二僧便在這種情況下，奉命西來聘請戒師了。

五、鑑真東渡的經過

日本天平五年（唐開元二十一年，七三三），沙門榮叡、普照等，隨遣唐大使丹墀眞人廣成來華留學。當時，唐朝各寺的三藏大德，都以戒律爲入道的正門，如有不持戒的，便爲衆僧所不齒。於是他們愈覺其本國無傳戒人，乃請東都大福寺沙門道璿律師（七〇二～七六〇），搭其副使中臣朝臣名代之船，先到日本傳戒。《東征傳》云：

榮叡、普照，留學唐國，已經十載，雖不待使，而欲早歸。於是請西京安國寺僧道航、澄觀，東都僧德清，高麗僧如海，又請得宰相李林甫之兄林宗之書，與揚州倉漕李湊，令造大舟備糧送遣。又與日本國同學僧玄朗、玄法二人，俱下至揚州。是歲天寶元載（日本天平十四年，歲次壬申），時大和上在揚州大明寺，爲衆講律。榮叡、普照至大明寺，頂禮大和上足下，具述本意曰：佛法東流至日本國，雖有其法，而無傳法人。日本國昔有聖德太子，曰：二百年後，聖教興於日本。今鍾此運，願大和上東遊興化。大和上答曰：昔聞南岳思禪師遷化之後，託生倭國王子，興隆佛法，濟渡衆僧。又今聞日本國長屋王崇敬佛法，造千袈裟，棄施此國大德衆僧。其袈裟緣上繡著四句曰：山川異域，風月同天；寄諸佛子，共結來緣。以此思量，誠是佛法興隆有緣之國也。今我同法衆中，誰有應此遠請向日本國傳法者乎？時衆默然，一無對者。良久，有僧祥彥進曰：彼國太遠，性命難存，滄海淼漫，百無一至。人身難得，中國難生，進修未備，道果未克，是故衆僧咸默難對而已。大和上曰：爲是法事也，何惜身命？諸人不去，我即去耳。

衆僧見鑑眞的去意如此堅決，於是有祥彥等二十一人表示決心隨他東渡。

決定隨鑑眞東渡的僧人中，道航與如海發生爭論。道航以爲「今向他國爲傳戒法，人皆高德，行業肅清，如如海等少學，可停卻矣！」如海大怒，於是告到淮南採訪使，說：「道航造船入海與賊連。」當時湊巧有海賊五百進城，所以淮南採訪使班景倩接獲如海的報告頗爲驚駭。經調查後，雖知爲誣告，但他以爲「今海賊大動，不須過海去」，没收其所造之船，歸還其他物品。結果，鑑眞第一次東渡計畫未能成功。

天寶二年（七四三）十二月，鑑眞又和榮叡等人商量，用錢八十貫向嶺南採訪使劉巨鱗買軍舟一艘，並購經籍、佛具、藥品、乾糧，及雇十八名水手準備渡海。同行的，除祥彥、德清、榮叡、普照、思託等十七位僧侶外，又有玉作人、畫師、雕檀、刻鏤、鑄寫、繡師、修文、鐫碑等工藝手八十五人。鑑眞一行乘船東下，在餘姚郡浪溝浦遇到大風暴。船被浪擊破，只得泊岸修理舟楫。經過一月，他們再度下海。可是風急浪高，離岸不久，船又觸礁破壞；乃不得不上岸。當時，水米俱盡，飢渴已三日。風停浪靜後，有人發見他們，而以水和米接濟。又經五日，有還海官來問消息，申請明州太守來處分。餘姚太守乃將一行安置鄮縣阿育王寺，這是他第二、第三次的東渡計畫，又失敗了。

天寶三年，當鑑眞爲越州龍興寺衆僧講律、授戒以後，更有杭、湖、宣州的僧侶請他講律。他乃依次巡遊，開講授戒，然後回到鄮縣阿育王寺。當時越州僧等知鑑眞計畫東渡日本，便告到州官，言日本僧榮叡引誘鑑眞前往日本。《東征傳》云：

> 時山陰縣尉遣人於王蒸宅搜得榮叡師，著枷遞送京。送至杭州，榮叡卧病，請假療治。經多時，云病死，乃得復出。

榮叡、普照兩人爲邀請鑑眞東渡，曾歷盡千辛萬苦而不反悔。鑑眞被他們的眞誠感動，就派遣僧人和兩名隨從攜帶「輕貨」前往長樂郡買船，及備辦糧食、用品，打算作第四次渡海。他本人則率領祥彥、榮叡、普照、思託等三十餘人，以巡禮佛跡爲名，向南出發。經定海至天台山巡禮，然後路過臨海、黄岩等縣，準備南下至永嘉郡。這時留在廣陵的鑑眞弟子靈祐，及三綱衆僧出於對鑑眞的愛護，不願他遠往異域，乃共同商議說：「我大師和上發願向日本國，登山涉海，數年辛苦，滄溟萬里，死生莫測。」因而請求採訪使勸阻他過海。採訪使乃派人追蹤至臨海郡，將鑑眞迎回廣陵，並且下令其屬下防護，勿使他再向他國。《東征傳》云：

諸州道俗聞大和上還至，各辦四事供養，競來慶賀，遞相把手慰勞。大和上憂愁，呵嘖靈祐，不賜開顏。靈祐日日懺謝乞歡喜，每夜一更立至五更謝罪，遂終六十日。又諸寺三綱大德共來禮謝乞歡喜，大和上乃開顏耳。

這是鑑眞的第四次東渡計畫失敗。可是他東渡之心，仍未因此而發生動搖。

天寶七年（七四八）春，鑑眞與榮叡、普照，又造船，買香藥、百物，作第五次的嘗試。這次同行的僧俗共三十五人。六月二十七日，一行從揚州新河乘舟，經常州界狼山至越州三塔山停住一月，等到好風以後入海。至署風山，又停留一月，於十月十六日再啟程。《東征傳》說：「去岸漸遠，風急波峻，水黑如墨。沸浪一透，如上高山；怒濤再至，似入深谷。人皆慌醉，但唱觀音。」又經過蛇海、飛魚海、飛鳥海後，「唯有急風高浪，衆僧惱臥。但普照師每日食時行生米少許與衆僧，以充中食。舟上無水，嚼米喉乾。咽不入，吐不出。飲鹹水，腹即脹。」他們出海後十四日，非但未達日本，反而漂流至海南島南部的振州。別駕馮崇債設齋供養，把一行安置大雲寺內。一年後，崇債派人護送鑑眞到萬安州。一行繼續向北至崖州，而鑑眞曾在該處主持建造佛殿、講堂、釋迦木像，並登壇授戒，講律度人。《東征傳》說：又經雷、羅、辯、象、白、傭、藤、梧、桂等州。鑑眞在各地都受禮拜供養，爲各州人授菩薩戒。在桂州停留一年，五府經略採訪大使南海郡太守盧煥方纔派人來迎他，一行乃下桂江經梧州至端州，而榮叡竟在端州龍興寺遷化。當一行在廣州大雲寺住了一個春天後，向韶州進發時，已是天寶九年了。普照從此辭別鑑眞，前往明州阿育王寺。鑑眞和他握別時悲泣說：「爲傳戒律，發願過海，遂不至日本國，本願不遂，於是分手，感念無喻。」鑑眞因在南方頻經炎熱，眼睛得了病，雖經胡人治療，但藥石無效，雙目於是失明了。

當鑑眞經大庾嶺沿贛江至吉州時，第一個支持鑑眞並決心隨他東渡的祥彥去世。抵江州時，就先在廬山東陸寺立壇授戒，然後入城。太守召集城內僧尼、道士、女冠等，以香花、音樂來迎，供養三日，這才乘船從潯陽縣沿江東下至潤州的江定縣，然後過江北入廣陵，住龍興寺。

天寶十二年（七五三），遣唐使藤原清河等請派鑑眞和弟子五人到日本傳戒。玄宗想把道教傳入日本，所以要日本遣唐使同時邀道士東渡。藤原等因日本統治者不奉道教，不願邀請道士，乃建議留下春桃原等四人在唐學「道士法」，因此不便再奉請鑑眞渡海。但他們向鑑眞表示：「願和上自作方便，弟子自有載信物船四舶，行裝具足，去亦無難。」儘管廣陵道俗都想挽留鑑眞，不願他以年近古稀而冒風濤之險，龍興寺也「防護甚固」，但他決心東渡傳戒，終於這年十一月十五日和法照等乘副使大伴古麻呂的第二船東渡。十二月二十日抵九州南部的薩摩國（今鹿兒島縣）阿多郡秋妻屋浦。日本朝廷遣使迎接慰勞。第二年(孝謙天皇天平勝寶六年,七五四)二月抵首都平城京,住東大寺。自右大臣、大納言以下官吏百餘人來禮拜慰問。鑑眞經過十年以上,六次努力,終於實現渡海的願望。這在中日關係和文化交流史上,留下最感人的一頁。

六、鑑真對日本的影響

若根據《東征傳》的記載,與鑑眞同時抵達日本的有:揚州白塔寺法進、泉州超功寺曇靜、臺州開元寺思託、揚州興雲寺義靜、衢州靈耀寺法載、竇州開元寺法成……等僧侶十四人,及藤州通善寺尼智首等三人,揚州優婆塞潘仙童、胡國人安如玉、崑崙人軍法力、膽波國人善聰等。日僧凝然(一二四〇~一三二一)的《律宗瓊鑑章》則謂其隨從弟子中揚名後世的有仁韓、法進、曇靜、法顒、思託、義靜、智威、法成、靈耀、懷謙(以上各人在唐受具足戒)、如寶、惠雲、惠長、惠達、惠常、惠喜(以上在日本受具足戒)、沙彌道欽等十八人。

日本天平勝寶六年三月,聖武天皇以吉備眞備爲使宣勅說:

力德和上遠涉滄波,來投此國,誠副朕意,喜慰無喻。朕造此東大寺經十餘年,欲立戒壇傳授戒律,自有此心,日夜不忘。今諸大德,遠來傳戒,冥契朕心。自今以後,授戒傳律之事,一任和上。

據《東征傳》、《大和上傳》、《續日本紀》的記載,鑑眞於同年四月築戒壇於東大寺大佛殿之前，聖武天皇、光明皇太后（聖武后）、孝謙女帝、沙彌、證修等四百三十餘人先後以鑑眞爲和上登壇受戒。後來鑑眞又在宮中的內道場爲僧神榮、行潛等五十五人授戒的。《東大寺要錄》說，鑑眞於五月一日移天皇受戒之壇的泥土於大佛殿之西，另造戒壇院，這就是當今戒壇院之地。鑑眞之於東大寺設戒壇院，非但是日本佛教史上值得大書特書的事，而且東大寺之成爲日本佛教的總本山，而確定其名實相符的宗主權，也是從此開始的。因爲直至平安朝（七九四～一一八五），於比叡山延曆寺建大乘戒壇，使日本佛教界宗主權劃分爲二以前，任何僧侶都得前往與鑑眞有密切關係的東大寺戒壇，或該寺的末寺下野國藥師寺、筑前國觀世音寺受戒，方能成爲大僧。

天平勝寶六年五月，鑑眞曾託良辨、佐伯今毛人等，將攜往日本的珍寶贈與宮中。其主要物品爲：如來的肉舍利三千粒，西國的琉璃，念珠的菩提子三斗，青蓮華二十，玳瑁疊子八面，玉環手幡八條，王羲之眞跡行書一帖，王獻之眞跡三帖。就中，至今給日本書法很大影響的王羲之的眞跡，可能便是鑑眞帶去的。

鑑眞師徒雖本爲律僧，但也兼學天台。這可從他攜往日本的物品中，有《摩訶止觀》、《法律玄義》、《法華文句》、《六鈔門等天章疏》看出其端倪。《唐招提寺緣起略集》云：

> 三年（天平寶字）八月一日，初講讀《四分律疏》，又《玄義》、《文句》、《止觀》等，不退軌則。
>
> 兼和上（鑑真）《天台教觀》，稟法進僧都、如寶少僧都、法載、思託等和上化，講天台，代

代相承，于今不絕。

又因《東征傳》記載，鑑眞攜往日本的物品中，有雕白栴檀千手像一軀，繡千手像一鋪等密教諸尊之像，而且至今唐招提寺仍存在著傳爲如寶之作的千手觀音，所以他們對日本的天台及密教也自有不少影響。

本宮泰彥以爲鑑眞師徒除對宏通戒律有貢獻外，對日本的佛教藝術也有很大的影響。他說：「鑑眞對造寺、造佛，有很多經驗，這可從他在唐朝期間修造古寺八十餘處之事得知。而隨他東渡的弟子，又是在唐時幫助其事業的，所以大都爲一流的建築家，也是雕刻家。其於天平寶字三年，在右京五條二坊所建『唐招提寺』的堂塔、伽藍，及安置於此的菩薩像，實由這些人完成的。」

鑑眞在醫藥方面，也對日本有很大的貢獻。因爲當時的日本人無法辨認各種藥物的眞僞，日皇乃降勅請他從事這方面的工作。他雙目雖已失明，但他能以鼻聞而毫無錯誤。當光明后患病時，他曾進藥而頗有效驗。藤原佐世的《日本國現在書目錄》中載有《鑑上人秘方》一卷，可見他在日本醫學、本草學的發達史上，也是不可忽略的人物。

鑑眞的弟子中，長於詩文，而對日本漢學有貢獻的不少，其中最顯著的就是思託。他的著作，《鑑眞和上傳》、《延曆僧錄》，在史學及文學上都值得注意，可惜這兩本書現在都已亡佚，只有若干篇什散於各書而已。前者是他爲顯揚其師的德風而撰，即是日本最早的旅行文學、敘事文學，也是具有眞誠的宗教內容的東西。後者則係記載鑑眞、道璿、榮叡、普照等僧侶，與聖德太子、聖武天皇、光明皇后、桓武天皇、石上宅嗣、淡海三船、佐伯今毛人等的傳記。因其內容多被《日本高僧傳要鈔》、《東大寺要錄》、《東大寺雜錄》所錄，所以既是奈良朝的珍貴史料，也是當時漢文之流傳至今的寶物。

當時的中國僧侶到日本講解經論，是用華語的。《東征傳》云：

唐道璿律師請大和上門人思託曰：所學有基緖，璿弟子閑漢語者，令學勵疏并鎭國記，幸見開導。僧思託便受於大安唐院，爲忍基等四五年中研磨數遍。寶字三年，僧忍基於東大唐院講《疏記》，僧善俊於唐寺講件《疏記》，僧忠惠於近江講《伴疏記》，僧眞法於興福寺講《件疏記》。從此以來，日本律儀漸漸嚴正，師資相傳，遍於寰宇。

木宮泰彥說：「由於這些唐僧的講說，便可想見漢語廣行之狀，這對於音道（梵唱）的發達，當有很大的裨益吧！」

七、結　語

由上述可知，鑑眞的東渡日本，非但在中日兩國的文化交流史上留下輝煌的一頁，而且也表現了中華民族百折不撓的大無畏精神。由於他的東渡，日本僧侶的紀律被端正，威儀被整肅了。尤其是他之築戒壇，爲日皇、皇后以下各大臣授戒，以及築唐招提寺，造佛像，及其弟子的著作等，在在表現其對日本宗教界、藝術界、文學界的貢獻之偉大。其所建唐招提寺的金堂，不僅是代表日本奈良時代之建築的第一遺構，而且其柱上的組織——MITE SAKI所完成的形式，也成爲後世日本建築之主流的所謂「和様」之典範。此外，其弟子之對於佛像雕刻（鑑眞逝世前由其弟子們所刻木像，爲日本現存最古的肖様）、漢學著作、梵唄之發達的貢獻，以及醫學知識的介紹等，都有永垂不朽的功績。如今，鑑眞雖已逝世一千二百餘年（七六三年五月六日入寂於唐招提寺），但他所留下的德儀風範，至今仍深印在日本人的心中。

【註　釋】

㈠　和上，同和尚。

㈡　佛教東傳日本的時有二說，一爲五三八年，一爲五五二年。